Joelle Fortier

HARRAP'S
VERBES
ESPAGNOLS

par

LEXUS

avec

Carmen Alonso-Bartol de Billinghurst

HARRAP

Edition publiée en France 1989
par Chambers Harrap Publishers Ltd
7 Hopetoun Crescent, Edinburgh EH7 4AY
Grande-Bretagne

Edition d'un format plus grand,
publiée en 1998

ISBN 0 245 50365 X

Réimprimé 1999 (deux fois), 2001, 2002, 2003

Dépôt légal : janvier 1998

Imprimé en France
MAME Imprimeurs à Tours (n° 02112284)
Flashage numérique CTP

Table des Matières

Glossaire des Termes Grammaticaux

ACTIF

La voix active est la forme de base d'un verbe. Elle suit le modèle suivant : *je le vois*, c'est-à-dire que c'est le sujet (je) qui fait l'action, et s'oppose à la voix passive : *il est vu*.

AUXILIAIRE

L'auxiliaire s'utilise pour former les temps composés d'autres verbes. Par exemple **avoir** dans *j'ai vu*, ou **être** dans *je suis allé*. Les principaux auxiliaires en espagnol sont **haber**, **ser** et **estar**.

COMPOSE

Les temps composés sont des temps qui sont formés de deux éléments. En espagnol, les temps composés se construisent avec un **auxiliaire** suivi du verbe au **participe passé** ou **présent** : *he comprado*, *fue destruido*, *estoy escribiendo*.

CONDITIONNEL

On emploie ce mode pour décrire ce que quelqu'un ferait, ou un événement qui se produirait si une condition était remplie (par exemple : *je viendrais si je pouvais* ; *tu l'aurais vu si tu étais venue*).

CONJUGAISON

La conjugaison d'un verbe est l'ensemble des différentes formes de ce verbe à des temps et modes divers.

IMPERATIF

Mode utilisé pour donner des ordres (par exemple : *arrête !*, *ne regarde pas !*), ou pour faire des suggestions (par exemple : *allons-y*).

INDICATIF

Mode énonçant la réalité, comme dans *j'aime*, *il vint*. Il s'oppose au subjonctif, au conditionnel et à l'impératif.

INFINITIF

L'infinitif est la forme du verbe que l'on trouve dans les dictionnaires. Ainsi *manger*, *finir*, *prendre* sont des infinitifs. En espagnol, les infinitifs ont une terminaison en **-ar**, **-er** ou **-ir** : *hablar*, *comer*, *vivir*.

MODE

Nom donné aux quatre principales classifications dans lesquelles un verbe est conjugué. cf INDICATIF, SUBJONCTIF, CONDITIONNEL, IMPERATIF.

PARTICIPE PASSE

Le participe passé est la forme du verbe utilisée dans les temps composés (*j'ai **mangé***, *j'ai **dit***). On peut aussi l'utiliser comme adjectif (*il est bien **élevé***).

PARTICIPE PRESENT

Le participe présent est la forme du verbe qui se termine par *-ant* en français (**-ando** ou **-iendo** en espagnol).

PASSIF

Un verbe est à la voix passive lorsque le sujet du verbe ne fait pas l'action, mais la subit. En français le passif se forme avec l'auxiliaire *être* et le participe passé du verbe (par exemple : *il fut récompensé*). En espagnol, on utilise l'auxiliaire **ser** suivi du participe passé du verbe.

PERSONNE

A tous les temps, il existe trois personnes au singulier (1ère : je ; 2ème : tu ; 3ème : il/elle), et trois au pluriel (1ère : nous ; 2ème : vous ; 3ème : ils/elles). Notez qu'en espagnol le 'vous' de politesse s'exprime par **usted** (sing.) et **ustedes** (pl.). Ils sont respectivement suivis du verbe aux troisièmes personnes du singulier et du pluriel.

PROPOSITION SUBORDONNEE

Groupe de mots avec un sujet et un verbe dépendant d'une autre proposition. Par exemple dans *il a dit qu'il partirait*, *qu'il partirait* est la proposition subordonnée dépendant de *il a dit*.

RACINE DES VERBES	La racine d'un verbe est 'l'unité de base' à laquelle s'ajoutent les différentes terminaisons. Pour trouver la racine d'un verbe espagnol, il suffit d'enlever **-ar**, **-er** ou **-ir** de l'infinitif. La racine de *hablar* est *habl*, la racine de *comer* est *com*, et la racine de *vivir* est *viv*.
REFLECHI	Les verbes réfléchis 'renvoient' l'action du sujet sur lui-même (*je me suis habillé*). On les trouve toujours accompagnés d'un pronom réfléchi. Ils sont très courants en espagnol.
SUBJONCTIF	Mode énonçant un doute, une volonté, un souhait (*il se peut qu'il vienne*, *je voudrais qu'il parte*).
TEMPS	Les verbes s'emploient à différents temps. Ceux-ci indiquent à quel moment l'action a eu lieu. Par exemple au présent, au passé ou au futur.
TERMINAISON	La terminaison d'un verbe est déterminée suivant que son sujet est à la 1ère, 2ème, 3ème personne du singulier ou du pluriel.
VOIX	Les deux voix d'un verbe sont la forme active et la forme passive.

Introduction

A LES GROUPES DE VERBES

Il existe trois groupes de verbes en espagnol. La terminaison du verbe à l'infinitif indique le type de conjugaison du verbe.

Tous les verbes se terminant par **-ar** appartiennent au premier groupe, comme **hablar** par exemple.

Tous les verbes se terminant par **-er** appartiennent au deuxième groupe, comme **comer** par exemple.

Tous les verbes se terminant par **-ir** appartiennent au troisième groupe, comme **vivir** par exemple.

Tous les verbes réguliers suivent le modèle d'un de ces types de conjugaison. Vous trouverez le modèle de conjugaison de ces verbes et celui d'un grand nombre de verbes irréguliers dans les tableaux de conjugaison de cet ouvrage.

B L'EMPLOI DES TEMPS

Les temps se forment en ajoutant différentes terminaisons à la racine du verbe (c'est-à-dire le verbe sans **-ar**, **-er** ou **-ir**).

La section suivante donne des explications accompagnées d'exemples sur l'usage des différents temps et modes qui apparaissent dans les tableaux de conjugaison de cet ouvrage.

1 On emploie le **PRESENT** :

  i) pour exprimer un état présent ou un fait du moment présent :

  estoy enfermo
  je suis malade

  vivo en Burdeos
  je vis à Bordeaux

  ii) pour exprimer des affirmations d'ordre général ou des vérités universelles :

  la vida es dura
  la vie est dure

  el tiempo es oro
  le temps c'est de l'argent

iii) pour exprimer un futur :

vuelvo ahora mismo
j'arrive tout de suite

mañana mismo lo termino
je terminerai demain

Le **PRESENT PROGRESSIF** d'un verbe se forme à partir de l'auxiliaire **estar** au présent suivi du verbe au participe présent (par exemple : **¿qué estas haciendo?** qu'est-ce que tu es en train de faire ? ; **están escuchando la radio** ils sont en train d'écouter la radio). On l'emploie :

i) lorsqu'une action est en train de se dérouler :

estoy escribiendo una carta
j'écris/je suis en train d'écrire une lettre

ii) pour exprimer une activité qui a débuté dans le passé et qui se poursuit dans le présent, même si elle ne se produit pas au moment où l'on parle :

estoy escribiendo un libro
j'écris/je suis en train d'écrire un livre

2 On emploie l'**IMPARFAIT** comme en français :

i) pour décrire une action qui se déroulait dans le passé :

hacía mucho ruido
il faisait beaucoup de bruit

ii) pour faire référence à une action qui a duré un certain temps, en opposition à un moment précis du passé :

mientras veíamos la televisión, un ladrón entró por la ventana
alors que nous regardions la télévision, un voleur entra par la fenêtre

iii) pour décrire une action habituelle du passé :

cuando era pequeño iba de vacaciones a Mallorca
quand j'étais jeune, j'allais en vacances à Majorque

iv) pour décrire le contexte d'une histoire :

el sol brillaba
le soleil brillait

Le **PASSE PROGRESSIF**. Comme le présent, l'imparfait a une forme progressive qui se construit avec l'auxiliaire **estar** à l'imparfait suivi d'un verbe au participe présent :

estábamos viendo una película
nous regardions/étions en train de regarder un film

3   Le **PASSE COMPOSE** s'emploie en général pour exprimer une action du passé ayant un lien avec le présent, sans que l'on spécifie quand cette action s'est produite. En espagnol le passé composé se construit toujours avec l'auxiliaire **haber** :

he conocido a tu hermano
j'ai fait la connaissance de ton frère

he leído el libro
j'ai lu le livre

4   On emploie le **PASSE SIMPLE** pour exprimer une action achevée du passé :

ayer fui a la discoteca
hier je suis allé à la discothèque

Pedro me llamó por teléfono
Pierre m'a téléphoné

5   Le **PLUS-QUE-PARFAIT** s'emploie :

i)   (comme en français) pour exprimer une action ou un fait qui se déroulait ou s'était déroulé à une certaine date du passé :

mi amiga había llamado por teléfono
mon amie avait téléphoné

ii) pour exprimer une action achevée du passé qui s'est produite avant une autre action du passé :

cuando llegué, Elena ya se había marchado
quand je suis arrivé, Hélène était déjà partie

6   Le **FUTUR** s'emploie comme en français pour exprimer des faits qui vont se produire dans le futur :

este verano iré a España
cet été j'irai en Espagne

Le futur peut aussi s'exprimer par l'emploi du verbe **ir** au présent suivi de la préposition **a**, puis du verbe à l'infinitif :

voy a estudiar
je vais étudier

van a comer con unos amigos
ils vont manger avec des amis

Vous noterez qu'en espagnol le futur s'exprime souvent par le présent (voir **1** iii ci-dessus).

7 Le **FUTUR ANTERIEUR** :

i) s'emploie pour indiquer qu'une action du futur sera achevée au moment où une deuxième action se sera produite :

lo habré terminado antes de que lleguen
j'aurai terminé avant qu'ils arrivent

ii) peut s'utiliser en espagnol pour exprimer une supposition concernant le présent :

lo habrá olvidado
il l'aura oublié

8 Le **CONDITIONNEL PRESENT** s'emploie :

i) dans certaines expressions pour exprimer un souhait :

me gustaría conocer a tu hermano
j'aimerais rencontrer ton frère

ii) pour faire référence à ce qui se passerait ou à ce que quelqu'un ferait dans certaines conditions :

si pasara eso, me pondría muy contento
si cela arrivait, je serais très content

9 Le **CONDITIONNEL PASSE** s'emploie pour exprimer ce qui se serait passé si certaines conditions avaient été remplies :

si hubieras llegado antes, lo habrías visto
si tu étais venu plus tôt, tu l'aurais vu

10 Le **PASSE ANTERIEUR** s'emploie en espagnol littéraire, et il est précédé d'une conjonction de temps :

cuando hubo terminado, se levantó
quand il eut fini, il se leva

11 On emploie principalement le **SUBJONCTIF** :

  i) dans des hypothèses où la condition n'a pas été réalisée ou n'est pas réalisable :

    si tuviera más tiempo, iría de paseo
    si j'avais plus de temps, j'irais me promener

    si me lo hubiera pedido, le habría prestado el dinero
    s'il me l'avait demandé, je lui aurais prêté l'argent

    si fuera mi cumpleaños
    si seulement c'était mon anniversaire

  ii) dans des propositions subordonnées introduites par des verbes exprimant une opinion personnelle (sentiment, souhait *etc.*) :

    siento que no puedas venir
    je suis désolé que tu ne puisses pas venir

    mi madre quiere que vaya a la Universidad
    ma mère veut que j'aille à l'université

  iii) avec des expressions impersonnelles :

    es fácil que suspenda el examen
    il est probable qu'il échoue à son examen

  iv) avec des expressions exprimant un doute :

    no creo que quiera ir al cine
    je ne pense pas qu'il veuille aller au cinéma

    dudo que lo sepa
    je doute qu'il le sache

  v) après des propositions relatives introduites par une principale à la forme négative, ou interrogative :

    ¿conoces a alguien que no quiera ganar mucho dinero?
    connais-tu quelqu'un qui ne veuille pas gagner beaucoup d'argent ?

    aquí no hay nadie que hable alemán
    ici il n'y a personne qui sache parler allemand

vi) dans des expressions introduites par un pronom indéfini faisant référence à un fait qui doit se produire dans le futur, ou par une conjonction exprimant la concession :

quienquiera que venga, le diré que no puede entrar
si quelqu'un vient, je lui dirai qu'il ne peut pas entrer

dondequiera que esté, le encontraré
où qu'il soit, je le trouverai

vii) avec des verbes exprimant une exigence ou un conseil :

mi amiga me dijo que fuera a verla
mon amie m'a dit d'aller la voir

Carmen me aconsejó que dejara de fumar
Carmen m'a conseillé d'arrêter de fumer

viii) après certaines conjonctions lorsqu'elles expriment un futur ou une action qui se produira peut-être :

aunque llueva, iré a los toros
même s'il pleut, j'irai à la corrida

On emploie le subjonctif avec des conjonctions de temps lorsque le verbe de la principale est au futur, étant donné que l'on ne sait pas si l'action se produira :

en cuanto venga, se lo diré
dès qu'il arrive, je lui dirai

antes de que se vaya, hablaré con ella
je lui parlerai avant qu'elle parte

L'emploi de tel ou tel temps du subjonctif dépend du temps utilisé dans la principale.

On emploie le subjonctif présent lorsque le verbe de la principale est au présent, au futur, au passé composé ou à l'impératif.

On emploie le subjonctif imparfait lorsque le verbe de la principale est à l'imparfait, au passé simple ou au conditionnel.

On emploie le passé composé du subjonctif lorsque le verbe de la principale est au présent ou au futur, et que cette dernière est suivie d'une proposition qui fait référence à une action du passé.

quiero que me escribas
je veux que tu m'écrives

nos pedirá que lo terminemos
il nous demandera de le finir

me dijo que viniera
il m'a dit de venir

me gustaría que me escribieras
j'aimerais que tu m'écrives

dudo que haya llegado
je doute qu'il soit arrivé

12 Le **PARTICIPE PRESENT** s'utilise rarement seul.

i) On l'emploie principalement avec **estar** au présent, pour construire les temps progressifs :

estoy estudiando español
j'étudie/je suis en train d'étudier l'espagnol

estábamos comiendo una paella
nous mangions/étions en train de manger une paella

ii) Employé seul, il correspond à la forme verbale 'en faisant', 'en allant', et exprime la manière d'accomplir une action :

entró silbando
il est entré en sifflant

13 Le **PARTICIPE PASSE** peut non seulement s'employer pour former les temps composés, mais aussi seul comme adjectif :

ese condenado coche
cette fichue voiture

está sentado/a
il/elle est assis(e)

14 On emploie l'**IMPERATIF** pour donner des ordres ou faire des suggestions :

¡ven aquí!
viens ici !

¡deja de hacer el tonto!
arrête de faire l'imbécile !

¡ten cuidado!
sois prudent !

¡vámonos!
allons-y !

N.B. : Les deuxièmes personnes de l'impératif, lorsqu'elles sont à la forme **NEGATIVE**, se construisent avec les deuxièmes personnes du subjonctif :

no corras tanto
ne cours pas tant

15 On emploie l'**INFINITIF** :

i) après une préposition :

se fue sin hablar conmigo
il est parti sans me parler

al abrir la puerta
en ouvrant la porte

ii) comme complément d'objet direct d'un autre verbe :

pueden Vds pasar
vous pouvez entrer

me gusta bailar
j'aime danser

iii) comme nom (parfois précédé d'un article) :

el comer tanto no es bueno
il n'est pas bon de manger autant

16 On construit le **PASSIF** en utilisant le verbe **ser** suivi du participe passé. Le complément d'agent (ou celui qui fait l'action) est introduit par **por**. A la voix passive le participe passé s'accorde avec le sujet :

el perro fue atropellado por un coche
le chien fut écrasé par une voiture

las cartas han sido destruidas por el fuego
les lettres ont été détruites par le feu

On peut aussi exprimer une idée passive par une construction pronominale espagnole (comme en français) :

este ordenador se vende en Japón
cet ordinateur est vendu/se vend au Japon

Vous trouverez ci-contre un verbe entièrement conjugué au passif.

SER AMADO être aimé

PRESENT	IMPARFAIT	FUTUR
1 soy amado	era amado	seré amado
2 eres amado	eras amado	serás amado
3 es amado	era amado	será amado
1 somos amados	éramos amados	seremos amados
2 sois amados	erais amados	seréis amados
3 son amados	eran amados	serán amados

PASSE SIMPLE	PASSE COMPOSE	PLUS-QUE-PARFAIT
1 fui amado	he sido amado	había sido amado
2 fuiste amado	has sido amado	habías sido amado
3 fue amado	ha sido amado	había sido amado
1 fuimos amados	hemos sido amados	habíamos sido amados
2 fuisteis amados	habéis sido amados	habíais sido amados
3 fueron amados	han sido amados	habían sido amados

PASSE ANTERIEUR

hube sido amado *etc.*

FUTUR ANTERIEUR

habré sido amado *etc.*

CONDITIONNEL

PRESENT	PASSE	IMPERATIF
1 sería amado	habría sido amado	
2 serías amado	habrías sido amado	
3 sería amado	habría sido amado	
1 seríamos amados	habríamos sido amados	
2 seríais amados	habríais sido amados	
3 serían amados	habrían sido amados	

SUBJONCTIF

PRESENT	IMPARFAIT	PLUS-QUE-PARFAIT
1 sea amado	fu-era/ese amado	hub-iera/ese sido amado
2 seas amado	fu-eras/eses amado	hubi-eras/eses sido amado
3 sea amado	fu-era/ese amado	hubi-era/ese sido amado
1 seamos amados	fu-éramos/ésemos amados	hubi-éramos/semos sido amados
2 seáis amados	fu-erais/eseis amados	hubi-erais/eseis sido amados
3 sean amados	fu-eran/esen amados	hubi-eran/esen sido amados

PAS. COMP. haya sido amado *etc.*

INFINITIF	PARTICIPE
PRESENT	**PRESENT**
ser amado	siendo amado
PASSE	**PASSE**
haber sido amado	sido amado

C 'SER' ET 'ESTAR'

Ces deux verbes se traduisent par 'être'.

On emploie **ser** :

i) pour exprimer l'identité :

soy Elena
je m'appelle Hélène

es mi prima
c'est ma cousine

ii) pour indiquer l'origine ou la nationalité :

él es de Madrid
il est de Madrid

mis amigos son madrileños
mes amis sont madrilènes

iii) pour indiquer une qualité ou des caractéristiques :

la playa es grande
la plage est grande

mi profesor es muy amable
mon professeur est très gentil

iv) pour exprimer une occupation :

mi novio es arquitecto
mon fiancé est architecte

v) pour exprimer la possession :

ese libro es de Ana
ce livre est à Anne

vi) pour indiquer le matériau dans lequel un objet est fait :

la mesa es de madera
la table est en bois

vii) pour indiquer le temps :

es la una y media
il est une heure et demie

mañana es domingo
demain c'est dimanche

viii) dans des expressions impersonnelles :

es mejor levantarse temprano
c'est mieux de se lever tôt

ix) pour construire la voix passive (voir p. xvi)

On emploie **estar** :

i) pour indiquer le lieu :

el hotel está en la calle principal
l'hôtel se trouve dans la rue principale

España está en Europa
l'Espagne se trouve en Europe

ii) pour exprimer un état ou une condition temporaires :

ese hombre está borracho
cet homme est ivre

el agua está fría
l'eau est froide

iii) dans la construction des temps progressifs :

estamos viendo la televisión
nous sommes en train de regarder la télévision

Le sens de certains mots peut changer suivant qu'on les emploie
avec **ser** ou **estar** :

estoy listo
je suis prêt

es listo
il est malin

N.B. : Dans les tableaux des conjugaisons on a utilisé les chiffres 1, 2, 3 pour indiquer les 1ère, 2ème et 3ème personnes des verbes au singulier et au pluriel. On trouvera d'abord les personnes du singulier suivies des personnes du pluriel.

Il est important de noter que la forme de politesse 'vous' (singulier et pluriel) se traduit en espagnol par **usted** au singulier, et **ustedes** au pluriel. Cependant ce sont des pronoms de la troisième personne du singulier et du pluriel. Ils sont donc suivis respectivement d'un verbe à la troisième personne du singulier et du pluriel.

Attention, note importante sur l'impératif à la page xvi.

PRESENT	**IMPARFAIT**	**FUTUR**
1 abandono	abandonaba	abandonaré
2 abandonas	abandonabas	abandonarás
3 abandona	abandonaba	abandonará
1 abandonamos	abandonábamos	abandonaremos
2 abandonáis	abandonabais	abandonaréis
3 abandonan	abandonaban	abandonarán

PASSE SIMPLE	**PASSE COMPOSE**	**PLUS-QUE-PARFAIT**
1 abandoné	he abandonado	había abandonado
2 abandonaste	has abandonado	habías abandonado
3 abandonó	ha abandonado	había abandonado
1 abandonamos	hemos abandonado	habíamos abandonado
2 abandonasteis	habéis abandonado	habíais abandonado
3 abandonaron	han abandonado	habían abandonado

PASSE ANTERIEUR

hube abandonado *etc.*

FUTUR ANTERIEUR

habré abandonado *etc.*

CONDITIONNEL
PRESENT	**PASSE**	*IMPERATIF*
1 abandonaría	habría abandonado	
2 abandonarías	habrías abandonado	(tú) abandona
3 abandonaría	habría abandonado	(Vd) abandone
1 abandonaríamos	habríamos abandonado	(nosotros) abandonemos
2 abandonaríais	habríais abandonado	(vosotros) abandonad
3 abandonarían	habrían abandonado	(Vds) abandonen

SUBJONCTIF
PRESENT	**IMPARFAIT**	**PLUS-QUE-PARFAIT**
1 abandone	abandon-ara/ase	hubiera abandonado
2 abandones	abandon-aras/ases	hubieras abandonado
3 abandone	abandon-ara/ase	hubiera abandonado
1 abandonemos	abandon-áramos/ásemos	hubiéramos abandonado
2 abandonéis	abandon-arais/aseis	hubierais abandonado
3 abandonen	abandon-aran/asen	hubieran abandonado

PAS. COMP. haya abandonado *etc.*

INFINITIF	*PARTICIPE*
PRESENT	**PRESENT**
abandonar	abandonando
PASSE	**PASSE**
haber abandonado	abandonado

2 ABOLIR
abolir

PRESENT	IMPARFAIT	FUTUR
1	abolía	aboliré
2	abolías	abolirás
3	abolía	abolirá
1 abolimos	abolíamos	aboliremos
2 abolís	abolíais	aboliréis
3	abolían	abolirán

PASSE SIMPLE	PASSE COMPOSE	PLUS-QUE-PARFAIT
1 abolí	he abolido	había abolido
2 aboliste	has abolido	habías abolido
3 abolió	ha abolido	había abolido
1 abolimos	hemos abolido	habíamos abolido
2 abolisteis	habéis abolido	habíais abolido
3 abolieron	han abolido	habían abolido

PASSE ANTERIEUR

hube abolido *etc.*

FUTUR ANTERIEUR

habré abolido *etc.*

CONDITIONNEL		*IMPERATIF*
PRESENT	**PASSE**	
1 aboliría	habría abolido	
2 abolirías	habrías abolido	
3 aboliría	habría abolido	
1 aboliríamos	habríamos abolido	(nosotros) abolamos
2 aboliríais	habríais abolido	(vosotros) abolid
3 abolirían	habrían abolido	

SUBJONCTIF		
PRESENT	**IMPARFAIT**	**PLUS-QUE-PARFAIT**
1	abol-iera/iese	hubiera abolido
2	abol-ieras/ieses	hubieras abolido
3	abol-iera/iese	hubiera abolido
1	abol-iéramos/iésemos	hubiéramos abolido
2	abol-ierais/ieseis	hubierais abolido
3	abol-ieran/iesen	hubieran abolido

PAS. COMP. haya abolido *etc.*

INFINITIF	*PARTICIPE*
PRESENT	**PRESENT**
abolir	aboliendo
PASSE	**PASSE**
haber abolido	abolido

PRESENT

1 aborrezco
2 aborreces
3 aborrece
1 aborrecemos
2 aborrecéis
3 aborrecen

IMPARFAIT

aborrecía
aborrecías
aborrecía
aborrecíamos
aborrecíais
aborrecían

FUTUR

aborreceré
aborrecerás
aborrecerá
aborreceremos
aborreceréis
aborrecerán

PASSE SIMPLE

1 aborrecí
2 aborreciste
3 aborreció
1 aborrecimos
2 aborrecisteis
3 aborrecieron

PASSE COMPOSE

he aborrecido
has aborrecido
ha aborrecido
hemos aborrecido
habéis aborrecido
han aborrecido

PLUS-QUE-PARFAIT

había aborrecido
habías aborrecido
había aborrecido
habíamos aborrecido
habíais aborrecido
habían aborrecido

PASSE ANTERIEUR

hube aborrecido *etc.*

FUTUR ANTERIEUR

habré aborrecido *etc.*

CONDITIONNEL
PRESENT

1 aborrecería
2 aborrecerías
3 aborrecería
1 aborreceríamos
2 aborreceríais
3 aborrecerían

PASSE

habría aborrecido
habrías aborrecido
habría aborrecido
habríamos aborrecido
habríais aborrecido
habrían aborrecido

IMPERATIF

(tú) aborrece
(Vd) aborrezca
(nosotros) aborrezcamos
(vosotros) aborreced
(Vds) aborrezcan

SUBJONCTIF
PRESENT

1 aborrezca
2 aborrezcas
3 aborrezca
1 aborrezcamos
2 aborrezcáis
3 aborrezcan

IMPARFAIT

aborrec-iera/iese
aborrec-ieras/ieses
aborrec-iera/iese
aborrec-iéramos/iésemos
aborrec-ierais/ieseis
aborrec-ieran/iesen

PLUS-QUE-PARFAIT

hubiera aborrecido
hubieras aborrecido
hubiera aborrecido
hubiéramos aborrecido
hubierais aborrecido
hubieran aborrecido

PAS. COMP. haya aborrecido *etc.*

INFINITIF
PRESENT

aborrecer

PARTICIPE
PRESENT

aborreciendo

PASSE

haber aborrecido

PASSE

aborrecido

4 ABRIR
ouvrir

PRESENT	**IMPARFAIT**	**FUTUR**
1 abro	abría	abriré
2 abres	abrías	abrirás
3 abre	abría	abrirá
1 abrimos	abríamos	abriremos
2 abrís	abríais	abriréis
3 abren	abrían	abrirán

PASSE SIMPLE	**PASSE COMPOSE**	**PLUS-QUE-PARFAIT**
1 abrí	he abierto	había abierto
2 abriste	has abierto	habías abierto
3 abrió	ha abierto	había abierto
1 abrimos	hemos abierto	habíamos abierto
2 abristeis	habéis abierto	habíais abierto
3 abrieron	han abierto	habían abierto

PASSE ANTERIEUR

hube abierto *etc.*

FUTUR ANTERIEUR

habré abierto *etc.*

CONDITIONNEL

PRESENT	**PASSE**	*IMPERATIF*
1 abriría	habría abierto	
2 abrirías	habrías abierto	(tú) abre
3 abriría	habría abierto	(Vd) abra
1 abriríamos	habríamos abierto	(nosotros) abramos
2 abriríais	habríais abierto	(vosotros) abrid
3 abrirían	habrían abierto	(Vds) abran

SUBJONCTIF

PRESENT	**IMPARFAIT**	**PLUS-QUE-PARFAIT**
1 abra	abr-iera/iese	hubiera abierto
2 abras	abr-ieras/ieses	hubieras abierto
3 abra	abr-iera/iese	hubiera abierto
1 abramos	abr-iéramos/iésemos	hubiéramos abierto
2 abráis	abr-ierais/ieseis	hubierais abierto
3 abran	abr-ieran/iesen	hubieran abierto

PAS. COMP. haya abierto *etc.*

INFINITIF	*PARTICIPE*
PRESENT	**PRESENT**
abrir	abriendo
PASSE	**PASSE**
haber abierto	abierto

PRESENT	**IMPARFAIT**	**FUTUR**
1 acabo	acababa	acabaré
2 acabas	acababas	acabarás
3 acaba	acababa	acabará
1 acabamos	acabábamos	acabaremos
2 acabáis	acababais	acabaréis
3 acaban	acababan	acabarán

PASSE SIMPLE	**PASSE COMPOSE**	**PLUS-QUE-PARFAIT**
1 acabé	he acabado	había acabado
2 acabaste	has acabado	habías acabado
3 acabó	ha acabado	había acabado
1 acabamos	hemos acabado	habíamos acabado
2 acabasteis	habéis acabado	habíais acabado
3 acabaron	han acabado	habían acabado

PASSE ANTERIEUR

hube acabado *etc*.

FUTUR ANTERIEUR

habré acabado *etc*.

CONDITIONNEL

PRESENT	**PASSE**	*IMPERATIF*
1 acabaría	habría acabado	
2 acabarías	habrías acabado	(tú) acaba
3 acabaría	habría acabado	(Vd) acabe
1 acabaríamos	habríamos acabado	(nosotros) acabemos
2 acabaríais	habríais acabado	(vosotros) acabad
3 acabarían	habrían acabado	(Vds) acaben

SUBJONCTIF

PRESENT	**IMPARFAIT**	**PLUS-QUE-PARFAIT**
1 acabe	acab-ara/ase	hubiera acabado
2 acabes	acab-aras/ases	hubieras acabado
3 acabe	acab-ara/ase	hubiera acabado
1 acabemos	acab-áramos/ásemos	hubiéramos acabado
2 acabéis	acab-arais/aseis	hubierais acabado
3 acaben	acab-aran/asen	hubieran acabado

PAS. COMP. haya acabado *etc*.

INFINITIF	*PARTICIPE*
PRESENT	**PRESENT**
acabar	acabando
PASSE	**PASSE**
haber acabado	acabado

6 ACENTUAR
accentuer

PRESENT	IMPARFAIT	FUTUR
1 acentúo	acentuaba	acentuaré
2 acentúas	acentuabas	acentuarás
3 acentúa	acentuaba	acentuará
1 acentuamos	acentuábamos	acentuaremos
2 acentuáis	acentuabais	acentuaréis
3 acentúan	acentuaban	acentuarán

PASSE SIMPLE	PASSE COMPOSE	PLUS-QUE-PARFAIT
1 acentué	he acentuado	había acentuado
2 acentuaste	has acentuado	habías acentuado
3 acentuó	ha acentuado	había acentuado
1 acentuamos	hemos acentuado	habíamos acentuado
2 acentuasteis	habéis acentuado	habíais acentuado
3 acentuaron	han acentuado	habían acentuado

PASSE ANTERIEUR	FUTUR ANTERIEUR
hube acentuado *etc*.	habré acentuado *etc*.

CONDITIONNEL

PRESENT	PASSE	*IMPERATIF*
1 acentuaría	habría acentuado	
2 acentuarías	habrías acentuado	(tú) acentúa
3 acentuaría	habría acentuado	(Vd) acentúe
1 acentuaríamos	habríamos acentuado	(nosotros) acentuemos
2 acentuaríais	habríais acentuado	(vosotros) acentuad
3 acentuarían	habrían acentuado	(Vds) acentúen

SUBJONCTIF

PRESENT	IMPARFAIT	PLUS-QUE-PARFAIT
1 acentúe	acentu-ara/ase	hubiera acentuado
2 acentúes	acentu-aras/ases	hubieras acentuado
3 acentúe	acentu-ara/ase	hubiera acentuado
1 acentuemos	acentu-áramos/ásemos	hubiéramos acentuado
2 acentuéis	acentu-arais/aseis	hubierais acentuado
3 acentúen	acentu-aran/asen	hubieran acentuado

PAS. COMP. haya acentuado *etc*.

INFINITIF	*PARTICIPE*
PRESENT	PRESENT
acentuar	acentuando
PASSE	PASSE
haber acentuado	acentuado

PRESENT

1 me acerco
2 te acercas
3 se acerca
1 nos acercamos
2 os acercáis
3 se acercan

IMPARFAIT

me acercaba
te acercabas
se acercaba
nos acercábamos
os acercabais
se acercaban

FUTUR

me acercaré
te acercarás
se acercará
nos acercaremos
os acercaréis
se acercarán

PASSE SIMPLE

1 me acerqué
2 te acercaste
3 se acercó
1 nos acercamos
2 os acercasteis
3 se acercaron

PASSE COMPOSE

me he acercado
te has acercado
se ha acercado
nos hemos acercado
os habéis acercado
se han acercado

PLUS-QUE-PARFAIT

me había acercado
te habías acercado
se había acercado
nos habíamos acercado
os habíais acercado
se habían acercado

PASSE ANTERIEUR

me hube acercado *etc*.

FUTUR ANTERIEUR

me habré acercado *etc*.

CONDITIONNEL
PRESENT

1 me acercaría
2 te acercarías
3 se acercaría
1 nos acercaríamos
2 os acercaríais
3 se acercarían

PASSE

me habría acercado
te habrías acercado
se habría acercado
nos habríamos acercado
os habríais acercado
se habrían acercado

IMPERATIF

(tú) acércate
(Vd) acérquese
(nosotros) acerquémonos
(vosotros) acercaos
(Vds) acérquense

SUBJONCTIF
PRESENT

1 me acerque
2 te acerques
3 se acerque
1 nos acerquemos
2 os acerquéis
3 se acerquen

IMPARFAIT

me acerc-ara/ase
te acerc-aras/ases
se acerc-ara/ase
nos acerc-áramos/ásemos
os acerc-arais/aseis
se acerc-aran/asen

PLUS-QUE-PARFAIT

me hubiera acercado
te hubieras acercado
se hubiera acercado
nos hubiéramos acercado
os hubierais acercado
se hubieran acercado

PAS. COMP. me haya acercado *etc*.

INFINITIF
PRESENT

acercarse

PASSE

haberse acercado

PARTICIPE
PRESENT

acercándose

PASSE

acercado

PRESENT
1 me acuerdo
2 te acuerdas
3 se acuerda
1 nos acordamos
2 os acordáis
3 se acuerdan

IMPARFAIT
me acordaba
te acordabas
se acordaba
nos acordábamos
os acordabais
se acordaban

FUTUR
me acordaré
te acordarás
se acordará
nos acordaremos
os acordaréis
se acordarán

PASSE SIMPLE
1 me acordé
2 te acordaste
3 se acordó
1 nos acordamos
2 os acordasteis
3 se acordaron

PASSE COMPOSE
me he acordado
te has acordado
se ha acordado
nos hemos acordado
os habéis acordado
se han acordado

PLUS-QUE-PARFAIT
me había acordado
te habías acordado
se había acordado
nos habíamos acordado
os habíais acordado
se habían acordado

PASSE ANTERIEUR
me hube acordado *etc.*

FUTUR ANTERIEUR
me habré acordado *etc.*

CONDITIONNEL
PRESENT
1 me acordaría
2 te acordarías
3 se acordaría
1 nos acordaríamos
2 os acordaríais
3 se acordarían

PASSE
me habría acordado
te habrías acordado
se habría acordado
nos habríamos acordado
os habríais acordado
se habrían acordado

IMPERATIF

(tú) acuérdate
(Vd) acuérdese
(nosotros) acordémonos
(vosotros) acordaos
(Vds) acuérdense

SUBJONCTIF
PRESENT
1 me acuerde
2 te acuerdes
3 se acuerde
1 nos acordemos
2 os acordéis
3 se acuerden

IMPARFAIT
me acord-ara/ase
te acord-aras/ases
se acord-ara/ase
nos acord-áramos/ásemos
os acord-arais/aseis
se acord-aran/asen

PLUS-QUE-PARFAIT
me hubiera acordado
te hubieras acordado
se hubiera acordado
nos hubiéramos acordado
os hubierais acordado
se hubieran acordado

PAS. COMP. me haya acordado *etc.*

INFINITIF
PRESENT
acordarse

PASSE
haberse acordado

PARTICIPE
PRESENT
acordándose

PASSE
acordado

PRESENT	**IMPARFAIT**	**FUTUR**
1 adquiero	adquiría	adquiriré
2 adquieres	adquirías	adquirirás
3 adquiere	adquiría	adquirirá
1 adquirimos	adquiríamos	adquiriremos
2 adquirís	adquiríais	adquiriréis
3 adquieren	adquirían	adquirirán

PASSE SIMPLE	**PASSE COMPOSE**	**PLUS-QUE-PARFAIT**
1 adquirí	he adquirido	había adquirido
2 adquiriste	has adquirido	habías adquirido
3 adquirió	ha adquirido	había adquirido
1 adquirimos	hemos adquirido	habíamos adquirido
2 adquiristeis	habéis adquirido	habíais adquirido
3 adquirieron	han adquirido	habían adquirido

PASSE ANTERIEUR

hube adquirido *etc.*

FUTUR ANTERIEUR

habré adquirido *etc.*

CONDITIONNEL

PRESENT	**PASSE**	*IMPERATIF*
1 adquiriría	habría adquirido	
2 adquirirías	habrías adquirido	(tú) adquiere
3 adquiriría	habría adquirido	(Vd) adquiera
1 adquiriríamos	habríamos adquirido	(nosotros) adquiramos
2 adquiriríais	habríais adquirido	(vosotros) adquirid
3 adquirirían	habrían adquirido	(Vds) adquieran

SUBJONCTIF

PRESENT	**IMPARFAIT**	**PLUS-QUE-PARFAIT**
1 adquiera	adquir-iera/iese	hubiera adquirido
2 adquieras	adquir-ieras/ieses	hubieras adquirido
3 adquiera	adquir-iera/iese	hubiera adquirido
1 adquiramos	adquir-iéramos/iésemos	hubiéramos adquirido
2 adquiráis	adquir-ierais/ieseis	hubierais adquirido
3 adquieran	adquir-ieran/iesen	hubieran adquirido

PAS. COMP. haya adquirido *etc.*

INFINITIF	*PARTICIPE*
PRESENT	**PRESENT**
adquirir	adquiriendo
PASSE	**PASSE**
haber adquirido	adquirido

10 AGORAR
prédire

PRESENT	IMPARFAIT	FUTUR
1 agüero	agoraba	agoraré
2 agüeras	agorabas	agorarás
3 agüera	agoraba	agorará
1 agoramos	agorábamos	agoraremos
2 agoráis	agorabais	agoraréis
3 agüeran	agoraban	agorarán

PASSE SIMPLE	PASSE COMPOSE	PLUS-QUE-PARFAIT
1 agoré	he agorado	había agorado
2 agoraste	has agorado	habías agorado
3 agoró	ha agorado	había agorado
1 agoramos	hemos agorado	habíamos agorado
2 agorasteis	habéis agorado	habíais agorado
3 agoraron	han agorado	habían agorado

PASSE ANTERIEUR

hube agorado *etc.*

FUTUR ANTERIEUR

habré agorado *etc.*

CONDITIONNEL		*IMPERATIF*
PRESENT	PASSE	
1 agoraría	habría agorado	
2 agorarías	habrías agorado	(tú) agüera
3 agoraría	habría agorado	(Vd) agüere
1 agoraríamos	habríamos agorado	(nosotros) agoremos
2 agoraríais	habríais agorado	(vosotros) agorad
3 agorarían	habrían agorado	(Vds) agüeren

SUBJONCTIF		
PRESENT	IMPARFAIT	PLUS-QUE-PARFAIT
1 agüere	agor-ara/ase	hubiera agorado
2 agüeres	agor-aras/ases	hubieras agorado
3 agüere	agor-ara/ase	hubiera agorado
1 agoremos	agor-áramos/ásemos	hubiéramos agorado
2 agoréis	agor-arais/aseis	hubierais agorado
3 agüeren	agor-aran/asen	hubieran agorado

PAS. COMP. haya agorado *etc.*

INFINITIF	*PARTICIPE*
PRESENT	PRESENT
agorar	agorando
PASSE	PASSE
haber agorado	agorado

PRESENT
1 agradezco
2 agradeces
3 agradece
1 agradecemos
2 agradecéis
3 agradecen

IMPARFAIT
agradecía
agradecías
agradecía
agradecíamos
agradecíais
agradecían

FUTUR
agradeceré
agradecerás
agradecerá
agradeceremos
agradeceréis
agradecerán

PASSE SIMPLE
1 agradecí
2 agradeciste
3 agradeció
1 agradecimos
2 agradecisteis
3 agradecieron

PASSE COMPOSE
he agradecido
has agradecido
ha agradecido
hemos agradecido
habéis agradecido
han agradecido

PLUS-QUE-PARFAIT
había agradecido
habías agradecido
había agradecido
habíamos agradecido
habíais agradecido
habían agradecido

PASSE ANTERIEUR
hube agradecido *etc.*

FUTUR ANTERIEUR
habré agradecido *etc.*

CONDITIONNEL
PRESENT
1 agradecería
2 agradecerías
3 agradecería
1 agradeceríamos
2 agradeceríais
3 agradecerían

PASSE
habría agradecido
habrías agradecido
habría agradecido
habríamos agradecido
habríais agradecido
habrían agradecido

IMPERATIF

(tú) agradece
(Vd) agradezca
(nosotros) agradezcamos
(vosotros) agradeced
(Vds) agradezcan

SUBJONCTIF
PRESENT
1 agradezca
2 agradezcas
3 agradezca
1 agradezcamos
2 agradezcáis
3 agradezcan

IMPARFAIT
agradec-iera/iese
agradec-ieras/ieses
agradec-iera/iese
agradec-iéramos/iésemos
agradec-ierais/ieseis
agradec-ieran/iesen

PLUS-QUE-PARFAIT
hubiera agradecido
hubieras agradecido
hubiera agradecido
hubiéramos agradecido
hubierais agradecido
hubieran agradecido

PAS. COMP. haya agradecido *etc.*

INFINITIF
PRESENT
agradecer

PARTICIPE
PRESENT
agradeciendo

PASSE
haber agradecido

PASSE
agradecido

ALCANZAR
attraper, atteindre

	PRESENT	IMPARFAIT	FUTUR
1	alcanzo	alcanzaba	alcanzaré
2	alcanzas	alcanzabas	alcanzarás
3	alcanza	alcanzaba	alcanzará
1	alcanzamos	alcanzábamos	alcanzaremos
2	alcanzáis	alcanzabais	alcanzaréis
3	alcanzan	alcanzaban	alcanzarán

	PASSE SIMPLE	PASSE COMPOSE	PLUS-QUE-PARFAIT
1	alcancé	he alcanzado	había alcanzado
2	alcanzaste	has alcanzado	habías alcanzado
3	alcanzó	ha alcanzado	había alcanzado
1	alcanzamos	hemos alcanzado	habíamos alcanzado
2	alcanzasteis	habéis alcanzado	habíais alcanzado
3	alcanzaron	han alcanzado	habían alcanzado

PASSE ANTERIEUR

hube alcanzado *etc.*

FUTUR ANTERIEUR

habré alcanzado *etc.*

CONDITIONNEL

	PRESENT	PASSE	*IMPERATIF*
1	alcanzaría	habría alcanzado	
2	alcanzarías	habrías alcanzado	(tú) alcanza
3	alcanzaría	habría alcanzado	(Vd) alcance
1	alcanzaríamos	habríamos alcanzado	(nosotros) alcancemos
2	alcanzaríais	habríais alcanzado	(vosotros) alcanzad
3	alcanzarían	habrían alcanzado	(Vds) alcancen

SUBJONCTIF

	PRESENT	IMPARFAIT	PLUS-QUE-PARFAIT
1	alcance	alcanz-ara/ase	hubiera alcanzado
2	alcances	alcanz-aras/ases	hubieras alcanzado
3	alcance	alcanz-ara/ase	hubiera alcanzado
1	alcancemos	alcanz-áramos/ásemos	hubiéramos alcanzado
2	alcancéis	alcanz-arais/aseis	hubierais alcanzado
3	alcancen	alcanz-aran/asen	hubieran alcanzado

PAS. COMP. haya alcanzado *etc.*

INFINITIF	*PARTICIPE*
PRESENT	**PRESENT**
alcanzar	alcanzando
PASSE	**PASSE**
haber alcanzado	alcanzado

PRESENT

1 almuerzo
2 almuerzas
3 almuerza
1 almorzamos
2 almorzáis
3 almuerzan

IMPARFAIT

almorzaba
almorzabas
almorzaba
almorzábamos
almorzabais
almorzaban

FUTUR

almorzaré
almorzarás
almorzará
almorzaremos
almorzaréis
almorzarán

PASSE SIMPLE

1 almorcé
2 almorzaste
3 almorzó
1 almorzamos
2 almorzasteis
3 almorzaron

PASSE COMPOSE

he almorzado
has almorzado
ha almorzado
hemos almorzado
habéis almorzado
han almorzado

PLUS-QUE-PARFAIT

había almorzado
habías almorzado
había almorzado
habíamos almorzado
habíais almorzado
habían almorzado

PASSE ANTERIEUR

hube almorzado *etc*.

FUTUR ANTERIEUR

habré almorzado *etc*.

CONDITIONNEL
PRESENT

1 almorzaría
2 almorzarías
3 almorzaría
1 almorzaríamos
2 almorzaríais
3 almorzarían

PASSE

habría almorzado
habrías almorzado
habría almorzado
habríamos almorzado
habríais almorzado
habrían almorzado

IMPERATIF

(tú) almuerza
(Vd) almuerce
(nosotros) almorcemos
(vosotros) almorzad
(Vds) almuercen

SUBJONCTIF
PRESENT

1 almuerce
2 almuerces
3 almuerce
1 almorcemos
2 almorcéis
3 almuercen

IMPARFAIT

almorz-ara/ase
almorz-aras/ases
almorz-ara/ase
almorz-áramos/ásemos
almorz-arais/aseis
almorz-aran/asen

PLUS-QUE-PARFAIT

hubiera almorzado
hubieras almorzado
hubiera almorzado
hubiéramos almorzado
hubierais almorzado
hubieran almorzado

PAS. COMP. haya almorzado *etc*.

INFINITIF
PRESENT

almorzar

PASSE

haber almorzado

PARTICIPE
PRESENT

almorzando

PASSE

almorzado

AMANECER
commencer à faire jour

PRESENT	**IMPARFAIT**	**FUTUR**
1 amanezco	amanecía	amaneceré
2 amaneces	amanecías	amanecerás
3 amanece	amanecía	amanecerá
1 amanecemos	amanecíamos	amaneceremos
2 amanecéis	amanecíais	amaneceréis
3 amanecen	amanecían	amanecerán

PASSE SIMPLE	**PASSE COMPOSE**	**PLUS-QUE-PARFAIT**
1 amanecí	he amanecido	había amanecido
2 amaneciste	has amanecido	habías amanecido
3 amaneció	ha amanecido	había amanecido
1 amanecimos	hemos amanecido	habíamos amanecido
2 amanecisteis	habéis amanecido	habíais amanecido
3 amanecieron	han amanecido	habían amanecido

PASSE ANTERIEUR

hube amanecido *etc.*

FUTUR ANTERIEUR

habré amanecido *etc.*

CONDITIONNEL

PRESENT	**PASSE**	*IMPERATIF*
1 amanecería	habría amanecido	
2 amanecerías	habrías amanecido	(tú) amanece
3 amanecería	habría amanecido	(Vd) amanezca
1 amaneceríamos	habríamos amanecido	(nosotros) amanezcamos
2 amaneceríais	habríais amanecido	(vosotros) amaneced
3 amanecerían	habrían amanecido	(Vds) amanezcan

SUBJONCTIF

PRESENT	**IMPARFAIT**	**PLUS-QUE-PARFAIT**
1 amanezca	amanec-iera/iese	hubiera amanecido
2 amanezcas	amanec-ieras/ieses	hubieras amanecido
3 amanezca	amanec-iera/iese	hubiera amanecido
1 amanezcamos	amanec-iéramos/iésemos	hubiéramos amanecido
2 amanezcáis	amanec-ierais/ieseis	hubierais amanecido
3 amanezcan	amanec-ieran/iesen	hubieran amanecido

PAS. COMP. haya amanecido *etc.*

INFINITIF	*PARTICIPE*	*N.B.*
PRESENT	**PRESENT**	Utilisé en général à la
amanecer	amaneciendo	troisième personne du singulier.
PASSE	**PASSE**	
haber amanecido	amanecido	

PRESENT	**IMPARFAIT**	**FUTUR**
1 ando	andaba	andaré
2 andas	andabas	andarás
3 anda	andaba	andará
1 andamos	andábamos	andaremos
2 andáis	andabais	andaréis
3 andan	andaban	andarán

PASSE SIMPLE	**PASSE COMPOSE**	**PLUS-QUE-PARFAIT**
1 anduve	he andado	había andado
2 anduviste	has andado	habías andado
3 anduvo	ha andado	había andado
1 anduvimos	hemos andado	habíamos andado
2 anduvisteis	habéis andado	habíais andado
3 anduvieron	han andado	habían andado

PASSE ANTERIEUR

hube andado *etc.*

FUTUR ANTERIEUR

habré andado *etc.*

CONDITIONNEL

PRESENT	**PASSE**	*IMPERATIF*
1 andaría	habría andado	
2 andarías	habrías andado	(tú) anda
3 andaría	habría andado	(Vd) ande
1 andaríamos	habríamos andado	(nosotros) andemos
2 andaríais	habríais andado	(vosotros) andad
3 andarían	habrían andado	(Vds) anden

SUBJONCTIF

PRESENT	**IMPARFAIT**	**PLUS-QUE-PARFAIT**
1 ande	anduv-iera/iese	hubiera andado
2 andes	anduv-ieras/ieses	hubieras andado
3 ande	anduv-iera/iese	hubiera andado
1 andemos	anduv-iéramos/iésemos	hubiéramos andado
2 andéis	anduv-ierais/ieseis	hubierais andado
3 anden	anduv-ieran/iesen	hubieran andado

PAS. COMP. haya andado *etc.*

INFINITIF	*PARTICIPE*
PRESENT	**PRESENT**
andar	andando
PASSE	**PASSE**
haber andado	andado

commencer à faire nuit

PRESENT	IMPARFAIT	FUTUR
3 anochece	anochecía	anochecerá

PASSE SIMPLE	PASSE COMPOSE	PLUS-QUE-PARFAIT
3 anocheció	ha anochecido	había anochecido

PASSE ANTERIEUR	FUTUR ANTERIEUR
hubo anochecido	habrá anochecido

CONDITIONNEL PRESENT	PASSE	*IMPERATIF*
3 anochecería	habría anochecido	

SUBJONCTIF PRESENT	IMPARFAIT	PLUS-QUE-PARFAIT
3 anochezca	anochec-iera/iese	hubiera anochecido

PAS. COMP. haya anochecido

INFINITIF PRESENT	*PARTICIPE* PRESENT
anochecer	anocheciendo
PASSE	**PASSE**
haber anochecido	anochecido

PRESENT	**IMPARFAIT**	**FUTUR**
1 anuncio	anunciaba	anunciaré
2 anuncias	anunciabas	anunciarás
3 anuncia	anunciaba	anunciará
1 anunciamos	anunciábamos	anunciaremos
2 anunciáis	anunciabais	anunciaréis
3 anuncian	anunciaban	anunciarán

PASSE SIMPLE	**PASSE COMPOSE**	**PLUS-QUE-PARFAIT**
1 anuncié	he anunciado	había anunciado
2 anunciaste	has anunciado	habías anunciado
3 anunció	ha anunciado	había anunciado
1 anunciamos	hemos anunciado	habíamos anunciado
2 anunciasteis	habéis anunciado	habíais anunciado
3 anunciaron	han anunciado	habían anunciado

PASSE ANTERIEUR

hube anunciado *etc*.

FUTUR ANTERIEUR

habré anunciado *etc*.

CONDITIONNEL

PRESENT	**PASSE**	*IMPERATIF*
1 anunciaría	habría anunciado	
2 anunciarías	habrías anunciado	(tú) anuncia
3 anunciaría	habría anunciado	(Vd) anuncie
1 anunciaríamos	habríamos anunciado	(nosotros) anunciemos
2 anunciaríais	habríais anunciado	(vosotros) anunciad
3 anunciarían	habrían anunciado	(Vds) anuncien

SUBJONCTIF

PRESENT	**IMPARFAIT**	**PLUS-QUE-PARFAIT**
1 anuncie	anunci-ara/ase	hubiera anunciado
2 anuncies	anunci-aras/ases	hubieras anunciado
3 anuncie	anunci-ara/ase	hubiera anunciado
1 anunciemos	anunci-áramos/ásemos	hubiéramos anunciado
2 anunciéis	anunci-arais/aseis	hubierais anunciado
3 anuncien	anunci-aran/asen	hubieran anunciado

PAS. COMP. haya anunciado *etc*.

INFINITIF	*PARTICIPE*
PRESENT	**PRESENT**
anunciar	anunciando
PASSE	**PASSE**
haber anunciado	anunciado

18 APARECER
apparaître

PRESENT	IMPARFAIT	FUTUR
1 aparezco	aparecía	apareceré
2 apareces	aparecías	aparecerás
3 aparece	aparecía	aparecerá
1 aparecemos	aparecíamos	apareceremos
2 aparecéis	aparecíais	apareceréis
3 aparecen	aparecían	aparecerán

PASSE SIMPLE	PASSE COMPOSE	PLUS-QUE-PARFAIT
1 aparecí	he aparecido	había aparecido
2 apareciste	has aparecido	habías aparecido
3 apareció	ha aparecido	había aparecido
1 aparecimos	hemos aparecido	habíamos aparecido
2 aparecisteis	habéis aparecido	habíais aparecido
3 aparecieron	han aparecido	habían aparecido

PASSE ANTERIEUR

hube aparecido *etc.*

FUTUR ANTERIEUR

habré aparecido *etc.*

CONDITIONNEL		*IMPERATIF*
PRESENT	**PASSE**	
1 aparecería	habría aparecido	
2 aparecerías	habrías aparecido	(tú) aparece
3 aparecería	habría aparecido	(Vd) aparezca
1 apareceríamos	habríamos aparecido	(nosotros) aparezcamos
2 apareceríais	habríais aparecido	(vosotros) apareced
3 aparecerían	habrían aparecido	(Vds) aparezcan

SUBJONCTIF		
PRESENT	**IMPARFAIT**	**PLUS-QUE-PARFAIT**
1 aparezca	aparec-iera/iese	hubiera aparecido
2 aparezcas	aparec-ieras/ieses	hubieras aparecido
3 aparezca	aparec-iera/iese	hubiera aparecido
1 aparezcamos	aparec-iéramos/iésemos	hubiéramos aparecido
2 aparezcáis	aparec-ierais/ieseis	hubierais aparecido
3 aparezcan	aparec-ieran/iesen	hubieran aparecido

PAS. COMP. haya aparecido *etc.*

INFINITIF	*PARTICIPE*
PRESENT	**PRESENT**
aparecer	apareciendo
PASSE	**PASSE**
haber aparecido	aparecido

PRESENT

1 apetezco
2 apeteces
3 apetece
1 apetecemos
2 apetecéis
3 apetecen

IMPARFAIT

apetecía
apetecías
apetecía
apetecíamos
apetecíais
apetecían

FUTUR

apeteceré
apetecerás
apetecerá
apeteceremos
apeteceréis
apetecerán

PASSE SIMPLE

1 apetecí
2 apeteciste
3 apeteció
1 apetecimos
2 apetecisteis
3 apetecieron

PASSE COMPOSE

he apetecido
has apetecido
ha apetecido
hemos apetecido
habéis apetecido
han apetecido

PLUS-QUE-PARFAIT

había apetecido
habías apetecido
había apetecido
habíamos apetecido
habíais apetecido
habían apetecido

PASSE ANTERIEUR

hube apetecido *etc.*

FUTUR ANTERIEUR

habré apetecido *etc.*

CONDITIONNEL
PRESENT

1 apetecería
2 apetecerías
3 apetecería
1 apeteceríamos
2 apeteceríais
3 apetecerían

PASSE

habría apetecido
habrías apetecido
habría apetecido
habríamos apetecido
habríais apetecido
habrían apetecido

IMPERATIF

(tú) apetece
(Vd) apetezca
(nosotros) apetezcamos
(vosotros) apeteced
(Vds) apetezcan

SUBJONCTIF
PRESENT

1 apetezca
2 apetezcas
3 apetezca
1 apetezcamos
2 apetezcáis
3 apetezcan

IMPARFAIT

apetec-iera/iese
apetec-ieras/ieses
apetec-iera/iese
apetec-iéramos/iésemos
apetec-ierais/ieseis
apetec-ieran/iesen

PLUS-QUE-PARFAIT

hubiera apetecido
hubieras apetecido
hubiera apetecido
hubiéramos apetecido
hubierais apetecido
hubieran apetecido

PAS. COMP. haya apetecido *etc.*

INFINITIF
PRESENT

apetecer

PASSE

haber apetecido

PARTICIPE
PRESENT

apeteciendo

PASSE

apetecido

N.B.

Utilisé en général à la
troisième personne
seulement ; j'ai envie
de : me apetece.

20 APRETAR
serrer, presser

PRESENT	**IMPARFAIT**	**FUTUR**
1 aprieto	apretaba	apretaré
2 aprietas	apretabas	apretarás
3 aprieta	apretaba	apretará
1 apretamos	apretábamos	apretaremos
2 apretáis	apretabais	apretaréis
3 aprietan	apretaban	apretarán

PASSE SIMPLE	**PASSE COMPOSE**	**PLUS-QUE-PARFAIT**
1 apreté	he apretado	había apretado
2 apretaste	has apretado	habías apretado
3 apretó	ha apretado	había apretado
1 apretamos	hemos apretado	habíamos apretado
2 apretasteis	habéis apretado	habíais apretado
3 apretaron	han apretado	habían apretado

PASSE ANTERIEUR

hube apretado *etc.*

FUTUR ANTERIEUR

habré apretado *etc.*

CONDITIONNEL

PRESENT	**PASSE**	***IMPERATIF***
1 apretaría	habría apretado	
2 apretarías	habrías apretado	(tú) aprieta
3 apretaría	habría apretado	(Vd) apriete
1 apretaríamos	habríamos apretado	(nosotros) apretemos
2 apretaríais	habríais apretado	(vosotros) apretad
3 apretarían	habrían apretado	(Vds) aprieten

SUBJONCTIF

PRESENT	**IMPARFAIT**	**PLUS-QUE-PARFAIT**
1 apriete	apret-ara/ase	hubiera apretado
2 aprietes	apret-aras/ases	hubieras apretado
3 apriete	apret-ara/ase	hubiera apretado
1 apretemos	apret-áramos/ásemos	hubiéramos apretado
2 apretéis	apret-arais/aseis	hubierais apretado
3 aprieten	apret-aran/asen	hubieran apretado

PAS. COMP. haya apretado *etc.*

INFINITIF	***PARTICIPE***
PRESENT	**PRESENT**
apretar	apretando
PASSE	**PASSE**
haber apretado	apretado

PRESENT	**IMPARFAIT**	**FUTUR**
1 apruebo	aprobaba	aprobaré
2 apruebas	aprobabas	aprobarás
3 aprueba	aprobaba	aprobará
1 aprobamos	aprobábamos	aprobaremos
2 aprobáis	aprobabais	aprobaréis
3 aprueban	aprobaban	aprobarán

PASSE SIMPLE	**PASSE COMPOSE**	**PLUS-QUE-PARFAIT**
1 aprobé	he aprobado	había aprobado
2 aprobaste	has aprobado	habías aprobado
3 aprobó	ha aprobado	había aprobado
1 aprobamos	hemos aprobado	habíamos aprobado
2 aprobasteis	habéis aprobado	habíais aprobado
3 aprobaron	han aprobado	habían aprobado

PASSE ANTERIEUR	**FUTUR ANTERIEUR**
hube aprobado *etc.*	habré aprobado *etc.*

CONDITIONNEL		*IMPERATIF*
PRESENT	**PASSE**	
1 aprobaría	habría aprobado	
2 aprobarías	habrías aprobado	(tú) aprueba
3 aprobaría	habría aprobado	(Vd) apruebe
1 aprobaríamos	habríamos aprobado	(nosotros) aprobemos
2 aprobaríais	habríais aprobado	(vosotros) aprobad
3 aprobarían	habrían aprobado	(Vds) aprueben

SUBJONCTIF		
PRESENT	**IMPARFAIT**	**PLUS-QUE-PARFAIT**
1 apruebe	aprob-ara/ase	hubiera aprobado
2 apruebes	aprob-aras/ases	hubieras aprobado
3 apruebe	aprob-ara/ase	hubiera aprobado
1 aprobemos	aprob-áramos/ásemos	hubiéramos aprobado
2 aprobéis	aprob-arais/aseis	hubierais aprobado
3 aprueben	aprob-aran/asen	hubieran aprobado

PAS. COMP. haya aprobado *etc.*

INFINITIF	*PARTICIPE*
PRESENT	**PRESENT**
aprobar	aprobando
PASSE	**PASSE**
haber aprobado	aprobado

reprocher

PRESENT	IMPARFAIT	FUTUR
1 arguyo	argüía	argüiré
2 arguyes	argüías	argüirás
3 arguye	argüía	argüirá
1 argüimos	argüíamos	argüiremos
2 argüís	argüíais	argüiréis
3 arguyen	argüían	argüirán

PASSE SIMPLE	PASSE COMPOSE	PLUS-QUE-PARFAIT
1 argüí	he argüido	había argüido
2 argüiste	has argüido	habías argüido
3 arguyó	ha argüido	había argüido
1 argüimos	hemos argüido	habíamos argüido
2 argüisteis	habéis argüido	habíais argüido
3 arguyeron	han argüido	habían argüido

PASSE ANTERIEUR

hube argüido *etc.*

FUTUR ANTERIEUR

habré argüido *etc.*

CONDITIONNEL

PRESENT	PASSE	*IMPERATIF*
1 argüiría	habría argüido	
2 argüirías	habrías argüido	
3 argüiría	habría argüido	(tú) arguye
1 argüiríamos	habríamos argüido	(Vd) arguya
2 argüiríais	habríais argüido	(nosotros) arguyamos
3 argüirían	habrían argüido	(vosotros) argüid
		(Vds) arguyan

SUBJONCTIF

PRESENT	IMPARFAIT	PLUS-QUE-PARFAIT
1 arguya	argu-yera/yese	hubiera argüido
2 arguyas	argu-yeras/yeses	hubieras argüido
3 arguya	argu-yera/yese	hubiera argüido
1 arguyamos	argu-yéramos/yésemos	hubiéramos argüido
2 arguyáis	argu-yerais/yeseis	hubierais argüido
3 arguyan	argu-yeran/yesen	hubieran argüido

PAS. COMP. haya argüido *etc.*

INFINITIF	*PARTICIPE*
PRESENT	**PRESENT**
argüir	arguyendo
PASSE	**PASSE**
haber argüido	argüido

PRESENT	**IMPARFAIT**	**FUTUR**
1 arranco	arrancaba	arrancaré
2 arrancas	arrancabas	arrancarás
3 arranca	arrancaba	arrancará
1 arrancamos	arrancábamos	arrancaremos
2 arrancáis	arrancabais	arrancaréis
3 arrancan	arrancaban	arrancarán

PASSE SIMPLE	**PASSE COMPOSE**	**PLUS-QUE-PARFAIT**
1 arranqué	he arrancado	había arrancado
2 arrancaste	has arrancado	habías arrancado
3 arrancó	ha arrancado	había arrancado
1 arrancamos	hemos arrancado	habíamos arrancado
2 arrancasteis	habéis arrancado	habíais arrancado
3 arrancaron	han arrancado	habían arrancado

PASSE ANTERIEUR

hube arrancado *etc.*

FUTUR ANTERIEUR

habré arrancado *etc.*

CONDITIONNEL		*IMPERATIF*
PRESENT	**PASSE**	
1 arrancaría	habría arrancado	
2 arrancarías	habrías arrancado	(tú) arranca
3 arrancaría	habría arrancado	(Vd) arranque
1 arrancaríamos	habríamos arrancado	(nosotros) arranquemos
2 arrancaríais	habríais arrancado	(vosotros) arrancad
3 arrancarían	habrían arrancado	(Vds) arranquen

SUBJONCTIF		
PRESENT	**IMPARFAIT**	**PLUS-QUE-PARFAIT**
1 arranque	arranc-ara/ase	hubiera arrancado
2 arranques	arranc-aras/ases	hubieras arrancado
3 arranque	arranc-ara/ase	hubiera arrancado
1 arranquemos	arranc-áramos/ásemos	hubiéramos arrancado
2 arranquéis	arranc-arais/aseis	hubierais arrancado
3 arranquen	arranc-aran/asen	hubieran arrancado

PAS. COMP. haya arrancado *etc.*

INFINITIF	*PARTICIPE*
PRESENT	**PRESENT**
arrancar	arrancando
PASSE	**PASSE**
haber arrancado	arrancado

	PRESENT	**IMPARFAIT**	**FUTUR**
1	arreglo	arreglaba	arreglaré
2	arreglas	arreglabas	arreglarás
3	arregla	arreglaba	arreglará
1	arreglamos	arreglábamos	arreglaremos
2	arregláis	arreglabais	arreglaréis
3	arreglan	arreglaban	arreglarán

	PASSE SIMPLE	**PASSE COMPOSE**	**PLUS-QUE-PARFAIT**
1	arreglé	he arreglado	había arreglado
2	arreglaste	has arreglado	habías arreglado
3	arregló	ha arreglado	había arreglado
1	arreglamos	hemos arreglado	habíamos arreglado
2	arreglasteis	habéis arreglado	habíais arreglado
3	arreglaron	han arreglado	habían arreglado

PASSE ANTERIEUR	**FUTUR ANTERIEUR**
hube arreglado *etc*.	habré arreglado *etc*.

CONDITIONNEL		*IMPERATIF*
PRESENT	**PASSE**	
1 arreglaría	habría arreglado	
2 arreglarías	habrías arreglado	(tú) arregla
3 arreglaría	habría arreglado	(Vd) arregle
1 arreglaríamos	habríamos arreglado	(nosotros) arreglemos
2 arreglaríais	habríais arreglado	(vosotros) arreglad
3 arreglarían	habrían arreglado	(Vds) arreglen

SUBJONCTIF		
PRESENT	**IMPARFAIT**	**PLUS-QUE-PARFAIT**
1 arregle	arregl-ara/ase	hubiera arreglado
2 arregles	arregl-aras/ases	hubieras arreglado
3 arregle	arregl-ara/ase	hubiera arreglado
1 arreglemos	arregl-áramos/ásemos	hubiéramos arreglado
2 arregléis	arregl-arais/aseis	hubierais arreglado
3 arreglen	arregl-aran/asen	hubieran arreglado

PAS. COMP. haya arreglado *etc*.

INFINITIF	*PARTICIPE*
PRESENT	**PRESENT**
arreglar	arreglando
PASSE	**PASSE**
haber arreglado	arreglado

PRESENT	**IMPARFAIT**	**FUTUR**
1 asciendo	ascendía	ascenderé
2 asciendes	ascendías	ascenderás
3 asciende	ascendía	ascenderá
1 ascendemos	ascendíamos	ascenderemos
2 ascendéis	ascendíais	ascenderéis
3 ascienden	ascendían	ascenderán

PASSE SIMPLE	**PASSE COMPOSE**	**PLUS-QUE-PARFAIT**
1 ascendí	he ascendido	había ascendido
2 ascendiste	has ascendido	habías ascendido
3 ascendió	ha ascendido	había ascendido
1 ascendimos	hemos ascendido	habíamos ascendido
2 ascendisteis	habéis ascendido	habíais ascendido
3 ascendieron	han ascendido	habían ascendido

PASSE ANTERIEUR

hube ascendido *etc.*

FUTUR ANTERIEUR

habré ascendido *etc.*

CONDITIONNEL

PRESENT	**PASSE**	*IMPERATIF*
1 ascendería	habría ascendido	
2 ascenderías	habrías ascendido	(tú) asciende
3 ascendería	habría ascendido	(Vd) ascienda
1 ascenderíamos	habríamos ascendido	(nosotros) ascendamos
2 ascenderíais	habríais ascendido	(vosotros) ascended
3 ascenderían	habrían ascendido	(Vds) asciendan

SUBJONCTIF

PRESENT	**IMPARFAIT**	**PLUS-QUE-PARFAIT**
1 ascienda	ascend-iera/iese	hubiera ascendido
2 asciendas	ascend-ieras/ieses	hubieras ascendido
3 ascienda	ascend-iera/iese	hubiera ascendido
1 ascendamos	ascend-iéramos/iésemos	hubiéramos ascendido
2 ascendáis	ascend-ierais/ieseis	hubierais ascendido
3 asciendan	ascend-ieran/iesen	hubieran ascendido

PAS. COMP. haya ascendido *etc.*

INFINITIF	*PARTICIPE*
PRESENT	**PRESENT**
ascender	ascendiendo
PASSE	**PASSE**
haber ascendido	ascendido

ASIR
prendre, saisir

PRESENT	**IMPARFAIT**	**FUTUR**
1 asgo	asía	asiré
2 ases	asías	asirás
3 ase	asía	asirá
1 asimos	asíamos	asiremos
2 asís	asíais	asiréis
3 asen	asían	asirán

PASSE SIMPLE	**PASSE COMPOSE**	**PLUS-QUE-PARFAIT**
1 así	he asido	había asido
2 asiste	has asido	habías asido
3 asió	ha asido	había asido
1 asimos	hemos asido	habíamos asido
2 asisteis	habéis asido	habíais asido
3 asieron	han asido	habían asido

PASSE ANTERIEUR	**FUTUR ANTERIEUR**
hube asido *etc*.	habré asido *etc*.

CONDITIONNEL		*IMPERATIF*
PRESENT	**PASSE**	
1 asiría	habría asido	
2 asirías	habrías asido	(tú) ase
3 asiría	habría asido	(Vd) asga
1 asiríamos	habríamos asido	(nosotros) asgamos
2 asiríais	habríais asido	(vosotros) asid
3 asirían	habrían asido	(Vds) asgan

SUBJONCTIF		
PRESENT	**IMPARFAIT**	**PLUS-QUE-PARFAIT**
1 asga	as-iera/iese	hubiera asido
2 asgas	as-ieras/ieses	hubieras asido
3 asga	as-iera/iese	hubiera asido
1 asgamos	as-iéramos/iésemos	hubiéramos asido
2 asgáis	as-ierais/ieseis	hubierais asido
3 asgan	as-ieran/iesen	hubieran asido

PAS. COMP. haya asido *etc*.

INFINITIF	*PARTICIPE*
PRESENT	**PRESENT**
asir	asiendo
PASSE	**PASSE**
haber asido	asido

PRESENT	**IMPARFAIT**	**FUTUR**
1 aterrizo	aterrizaba	aterrizaré
2 aterrizas	aterrizabas	aterrizarás
3 aterriza	aterrizaba	aterrizará
1 aterrizamos	aterrizábamos	aterrizaremos
2 aterrizáis	aterrizabais	aterrizaréis
3 aterrizan	aterrizaban	aterrizarán

PASSE SIMPLE	**PASSE COMPOSE**	**PLUS-QUE-PARFAIT**
1 aterricé	he aterrizado	había aterrizado
2 aterrizaste	has aterrizado	habías aterrizado
3 aterrizó	ha aterrizado	había aterrizado
1 aterrizamos	hemos aterrizado	habíamos aterrizado
2 aterrizasteis	habéis aterrizado	habíais aterrizado
3 aterrizaron	han aterrizado	habían aterrizado

PASSE ANTERIEUR	**FUTUR ANTERIEUR**
hube aterrizado *etc.*	habré aterrizado *etc.*

CONDITIONNEL

PRESENT	**PASSE**	*IMPERATIF*
1 aterrizaría	habría aterrizado	
2 aterrizarías	habrías aterrizado	(tú) aterriza
3 aterrizaría	habría aterrizado	(Vd) aterrice
1 aterrizaríamos	habríamos aterrizado	(nosotros) aterricemos
2 aterrizaríais	habríais aterrizado	(vosotros) aterrizad
3 aterrizarían	habrían aterrizado	(Vds) aterricen

SUBJONCTIF

PRESENT	**IMPARFAIT**	**PLUS-QUE-PARFAIT**
1 aterrice	aterriz-ara/ase	hubiera aterrizado
2 aterrices	aterriz-aras/ases	hubieras aterrizado
3 aterrice	aterriz-ara/ase	hubiera aterrizado
1 aterricemos	aterriz-áramos/ásemos	hubiéramos aterrizado
2 aterricéis	aterriz-arais/aseis	hubierais aterrizado
3 aterricen	aterriz-aran/asen	hubieran aterrizado

PAS. COMP. haya aterrizado *etc.*

INFINITIF	*PARTICIPE*
PRESENT	**PRESENT**
aterrizar	aterrizando
PASSE	**PASSE**
haber aterrizado	aterrizado

28 ATRAVESAR
traverser

PRESENT	IMPARFAIT	FUTUR
1 atravieso	atravesaba	atravesaré
2 atraviesas	atravesabas	atravesarás
3 atraviesa	atravesaba	atravesará
1 atravesamos	atravesábamos	atravesaremos
2 atravesáis	atravesabais	atravesaréis
3 atraviesan	atravesaban	atravesarán

PASSE SIMPLE	PASSE COMPOSE	PLUS-QUE-PARFAIT
1 atravesé	he atravesado	había atravesado
2 atravesaste	has atravesado	habías atravesado
3 atravesó	ha atravesado	había atravesado
1 atravesamos	hemos atravesado	habíamos atravesado
2 atravesasteis	habéis atravesado	habíais atravesado
3 atravesaron	han atravesado	habían atravesado

PASSE ANTERIEUR

hube atravesado *etc.*

FUTUR ANTERIEUR

habré atravesado *etc.*

CONDITIONNEL

PRESENT	PASSE	*IMPERATIF*
1 atravesaría	habría atravesado	
2 atravesarías	habrías atravesado	(tú) atraviesa
3 atravesaría	habría atravesado	(Vd) atraviese
1 atravesaríamos	habríamos atravesado	(nosotros) atravesemos
2 atravesaríais	habríais atravesado	(vosotros) atravesad
3 atravesarían	habrían atravesado	(Vds) atraviesen

SUBJONCTIF

PRESENT	IMPARFAIT	PLUS-QUE-PARFAIT
1 atraviese	atraves-ara/ase	hubiera atravesado
2 atravieses	atraves-aras/ases	hubieras atravesado
3 atraviese	atraves-ara/ase	hubiera atravesado
1 atravesemos	atraves-áramos/ásemos	hubiéramos atravesado
2 atraveséis	atraves-arais/aseis	hubierais atravesado
3 atraviesen	atraves-aran/asen	hubieran atravesado

PAS. COMP. haya atravesado *etc.*

INFINITIF	*PARTICIPE*
PRESENT	**PRESENT**
atravesar	atravesando
PASSE	**PASSE**
haber atravesado	atravesado

PRESENT

1 me avergüenzo
2 te avergüenzas
3 se avergüenza
1 nos avergonzamos
2 os avergonzáis
3 se avergüenzan

IMPARFAIT

me avergonzaba
te avergonzabas
se avergonzaba
nos avergonzábamos
os avergonzabais
se avergonzaban

FUTUR

me avergonzaré
te avergonzarás
se avergonzará
nos avergonzaremos
os avergonzaréis
se avergonzarán

PASSE SIMPLE

1 me avergoncé
2 te avergonzaste
3 se avergonzó
1 nos avergonzamos
2 os avergonzasteis
3 se avergonzaron

PASSE COMPOSE

me he avergonzado
te has avergonzado
se ha avergonzado
nos hemos avergonzado
os habéis avergonzado
se han avergonzado

PLUS-QUE-PARFAIT

me había avergonzado
te habías avergonzado
se había avergonzado
nos habíamos avergonzado
os habíais avergonzado
se habían avergonzado

PASSE ANTERIEUR

me hube avergonzado *etc.*

FUTUR ANTERIEUR

me habré avergonzado *etc.*

CONDITIONNEL
PRESENT

1 me avergonzaría
2 te avergonzarías
3 se avergonzaría
1 nos avergonzaríamos
2 os avergonzaríais
3 se avergonzarían

PASSE

me habría avergonzado
te habrías avergonzado
se habría avergonzado
nos habríamos avergonzado
os habríais avergonzado
se habrían avergonzado

IMPERATIF

(tú) avergüénzate
(Vd) avergüéncese
(nosotros) avergoncémonos
(vosotros) avergonzaos
(Vds) avergüéncense

SUBJONCTIF
PRESENT

1 me avergüence
2 te avergüences
3 se avergüence
1 nos avergoncemos
2 os avergoncéis
3 se avergüencen

IMPARFAIT

me avergonz-ara/ase
te avergonz-aras/ases
se avergonz-ara/ase
nos avergonz-áramos/ásemos
os avergonz-arais/aseis
se avergonz-aran/asen

PLUS-QUE-PARFAIT

me hubiera avergonzado
te hubieras avergonzado
se hubiera avergonzado
nos hubiéramos avergonzado
os hubierais avergonzado
se hubieran avergonzado

PAS. COMP. me haya avergonzado *etc.*

INFINITIF
PRESENT

avergonzarse

PARTICIPE
PRESENT

avergonzándose

PASSE

haberse avergonzado

PASSE

avergonzado

30 AVERIGUAR
découvrir

PRESENT	IMPARFAIT	FUTUR
1 averiguo	averiguaba	averiguaré
2 averiguas	averiguabas	averiguarás
3 averigua	averiguaba	averiguará
1 averiguamos	averiguábamos	averiguaremos
2 averiguáis	averiguabais	averiguaréis
3 averiguan	averiguaban	averiguarán

PASSE SIMPLE	PASSE COMPOSE	PLUS-QUE-PARFAIT
1 averigüé	he averiguado	había averiguado
2 averiguaste	has averiguado	habías averiguado
3 averiguó	ha averiguado	había averiguado
1 averiguamos	hemos averiguado	habíamos averiguado
2 averiguasteis	habéis averiguado	habíais averiguado
3 averiguaron	han averiguado	habían averiguado

PASSE ANTERIEUR

hube averiguado *etc.*

FUTUR ANTERIEUR

habré averiguado *etc.*

CONDITIONNEL

PRESENT	PASSE	*IMPERATIF*
1 averiguaría	habría averiguado	
2 averiguarías	habrías averiguado	(tú) averigua
3 averiguaría	habría averiguado	(Vd) averigüe
1 averiguaríamos	habríamos averiguado	(nosotros) averigüemos
2 averiguaríais	habríais averiguado	(vosotros) averiguad
3 averiguarían	habrían averiguado	(Vds) averigüen

SUBJONCTIF

PRESENT	IMPARFAIT	PLUS-QUE-PARFAIT
1 averigüe	averigu-ara/ase	hubiera averiguado
2 averigües	averigu-aras/ases	hubieras averiguado
3 averigüe	averigu-ara/ase	hubiera averiguado
1 averigüemos	averigu-áramos/ásemos	hubiéramos averiguado
2 averigüéis	averigu-arais/aseis	hubierais averiguado
3 averigüen	averigu-aran/asen	hubieran averiguado

PAS. COMP. haya averiguado *etc.*

INFINITIF	*PARTICIPE*
PRESENT	**PRESENT**
averiguar	averiguando
PASSE	**PASSE**
haber averiguado	averiguado

PRESENT	**IMPARFAIT**	**FUTUR**
1 bajo	bajaba	bajaré
2 bajas	bajabas	bajarás
3 baja	bajaba	bajará
1 bajamos	bajábamos	bajaremos
2 bajáis	bajabais	bajaréis
3 bajan	bajaban	bajarán

PASSE SIMPLE	**PASSE COMPOSE**	**PLUS-QUE-PARFAIT**
1 bajé	he bajado	había bajado
2 bajaste	has bajado	habías bajado
3 bajó	ha bajado	había bajado
1 bajamos	hemos bajado	habíamos bajado
2 bajasteis	habéis bajado	habíais bajado
3 bajaron	han bajado	habían bajado

PASSE ANTERIEUR

hube bajado *etc.*

FUTUR ANTERIEUR

habré bajado *etc.*

CONDITIONNEL

PRESENT	**PASSE**	*IMPERATIF*
1 bajaría	habría bajado	
2 bajarías	habrías bajado	(tú) baja
3 bajaría	habría bajado	(Vd) baje
1 bajaríamos	habríamos bajado	(nosotros) bajemos
2 bajaríais	habríais bajado	(vosotros) bajad
3 bajarían	habrían bajado	(Vds) bajen

SUBJONCTIF

PRESENT	**IMPARFAIT**	**PLUS-QUE-PARFAIT**
1 baje	baj-ara/ase	hubiera bajado
2 bajes	baj-aras/ases	hubieras bajado
3 baje	baj-ara/ase	hubiera bajado
1 bajemos	baj-áramos/ásemos	hubiéramos bajado
2 bajéis	baj-arais/aseis	hubierais bajado
3 bajen	baj-aran/asen	hubieran bajado

PAS. COMP. haya bajado *etc.*

INFINITIF	*PARTICIPE*
PRESENT	**PRESENT**
bajar	bajando
PASSE	**PASSE**
haber bajado	bajado

BAÑARSE

prendre un bain, se baigner

PRESENT	IMPARFAIT	FUTUR
1 me baño	me bañaba	me bañaré
2 te bañas	te bañabas	te bañarás
3 se baña	se bañaba	se bañará
1 nos bañamos	nos bañábamos	nos bañaremos
2 os bañáis	os bañabais	os bañaréis
3 se bañan	se bañaban	se bañarán

PASSE SIMPLE	PASSE COMPOSE	PLUS-QUE-PARFAIT
1 me bañé	me he bañado	me había bañado
2 te bañaste	te has bañado	te habías bañado
3 se bañó	se ha bañado	se había bañado
1 nos bañamos	nos hemos bañado	nos habíamos bañado
2 os bañasteis	os habéis bañado	os habíais bañado
3 se bañaron	se han bañado	se habían bañado

PASSE ANTERIEUR	FUTUR ANTERIEUR
me hube bañado *etc.*	me habré bañado *etc.*

CONDITIONNEL

PRESENT	PASSE	*IMPERATIF*
1 me bañaría	me habría bañado	
2 te bañarías	te habrías bañado	(tú) báñate
3 se bañaría	se habría bañado	(Vd) báñese
1 nos bañaríamos	nos habríamos bañado	(nosotros) bañémonos
2 os bañaríais	os habríais bañado	(vosotros) bañaos
3 se bañarían	se habrían bañado	(Vds) báñense

SUBJONCTIF

PRESENT	IMPARFAIT	PLUS-QUE-PARFAIT
1 me bañe	me bañ-ara/ase	me hubiera bañado
2 te bañes	te bañ-aras/ases	te hubieras bañado
3 se bañe	se bañ-ara/ase	se hubiera bañado
1 nos bañemos	nos bañ-áramos/ásemos	nos hubiéramos bañado
2 os bañéis	os bañ-arais/aseis	os hubierais bañado
3 se bañen	se bañ-aran/asen	se hubieran bañado

PAS. COMP. me haya bañado *etc.*

INFINITIF	*PARTICIPE*
PRESENT	PRESENT
bañarse	bañándose
PASSE	PASSE
haberse bañado	bañado

PRESENT	**IMPARFAIT**	**FUTUR**
1 bebo	bebía	beberé
2 bebes	bebías	beberás
3 bebe	bebía	beberá
1 bebemos	bebíamos	beberemos
2 bebéis	bebíais	beberéis
3 beben	bebían	beberán

PASSE SIMPLE	**PASSE COMPOSE**	**PLUS-QUE-PARFAIT**
1 bebí	he bebido	había bebido
2 bebiste	has bebido	habías bebido
3 bebió	ha bebido	había bebido
1 bebimos	hemos bebido	habíamos bebido
2 bebisteis	habéis bebido	habíais bebido
3 bebieron	han bebido	habían bebido

PASSE ANTERIEUR

hube bebido *etc*.

FUTUR ANTERIEUR

habré bebido *etc*.

CONDITIONNEL		*IMPERATIF*
PRESENT	**PASSE**	
1 bebería	habría bebido	
2 beberías	habrías bebido	(tú) bebe
3 bebería	habría bebido	(Vd) beba
1 beberíamos	habríamos bebido	(nosotros) bebamos
2 beberíais	habríais bebido	(vosotros) bebed
3 beberían	habrían bebido	(Vds) beban

SUBJONCTIF		
PRESENT	**IMPARFAIT**	**PLUS-QUE-PARFAIT**
1 beba	beb-iera/iese	hubiera bebido
2 bebas	beb-ieras/ieses	hubieras bebido
3 beba	beb-iera/iese	hubiera bebido
1 bebamos	beb-iéramos/iésemos	hubiéramos bebido
2 bebáis	beb-ierais/ieseis	hubierais bebido
3 beban	beb-ieran/iesen	hubieran bebido

PAS. COMP. haya bebido *etc*.

INFINITIF	*PARTICIPE*
PRESENT	**PRESENT**
beber	bebiendo
PASSE	**PASSE**
haber bebido	bebido

34 BENDECIR
bénir

PRESENT	IMPARFAIT	FUTUR
1 bendigo	bendecía	bendeciré
2 bendices	bendecías	bendecirás
3 bendice	bendecía	bendecirá
1 bendecimos	bendecíamos	bendeciremos
2 bendecís	bendecíais	bendeciréis
3 bendicen	bendecían	bendecirán

PASSE SIMPLE	PASSE COMPOSE	PLUS-QUE-PARFAIT
1 bendije	he bendecido	había bendecido
2 bendijiste	has bendecido	habías bendecido
3 bendijo	ha bendecido	había bendecido
1 bendijimos	hemos bendecido	habíamos bendecido
2 bendijisteis	habéis bendecido	habíais bendecido
3 bendijeron	han bendecido	habían bendecido

PASSE ANTERIEUR

hube bendecido *etc.*

FUTUR ANTERIEUR

habré bendecido *etc.*

CONDITIONNEL

PRESENT	PASSE	IMPERATIF
1 bendeciría	habría bendecido	
2 bendecirías	habrías bendecido	(tú) bendice
3 bendeciría	habría bendecido	(Vd) bendiga
1 bendeciríamos	habríamos bendecido	(nosotros) bendigamos
2 bendeciríais	habríais bendecido	(vosotros) bendecid
3 bendecirían	habrían bendecido	(Vds) bendigan

SUBJONCTIF

PRESENT	IMPARFAIT	PLUS-QUE-PARFAIT
1 bendiga	bendij-era/ese	hubiera bendecido
2 bendigas	bendij-eras/eses	hubieras bendecido
3 bendiga	bendij-era/ese	hubiera bendecido
1 bendigamos	bendij-éramos/ésemos	hubiéramos bendecido
2 bendigáis	bendij-erais/eseis	hubierais bendecido
3 bendigan	bendij-eran/esen	hubieran bendecido

PAS. COMP. haya bendecido *etc.*

INFINITIF	PARTICIPE
PRESENT	**PRESENT**
bendecir	bendiciendo
PASSE	**PASSE**
haber bendecido	bendecido

PRESENT	**IMPARFAIT**	**FUTUR**
1 busco	buscaba	buscaré
2 buscas	buscabas	buscarás
3 busca	buscaba	buscará
1 buscamos	buscábamos	buscaremos
2 buscáis	buscabais	buscaréis
3 buscan	buscaban	buscarán

PASSE SIMPLE	**PASSE COMPOSE**	**PLUS-QUE-PARFAIT**
1 busqué	he buscado	había buscado
2 buscaste	has buscado	habías buscado
3 buscó	ha buscado	había buscado
1 buscamos	hemos buscado	habíamos buscado
2 buscasteis	habéis buscado	habíais buscado
3 buscaron	han buscado	habían buscado

PASSE ANTERIEUR

hube buscado *etc.*

FUTUR ANTERIEUR

habré buscado *etc.*

CONDITIONNEL

PRESENT	**PASSE**	*IMPERATIF*
1 buscaría	habría buscado	
2 buscarías	habrías buscado	(tú) busca
3 buscaría	habría buscado	(Vd) busque
1 buscaríamos	habríamos buscado	(nosotros) busquemos
2 buscaríais	habríais buscado	(vosotros) buscad
3 buscarían	habrían buscado	(Vds) busquen

SUBJONCTIF

PRESENT	**IMPARFAIT**	**PLUS-QUE-PARFAIT**
1 busque	busc-ara/ase	hubiera buscado
2 busques	busc-aras/ases	hubieras buscado
3 busque	busc-ara/ase	hubiera buscado
1 busquemos	busc-áramos/ásemos	hubiéramos buscado
2 busquéis	busc-arais/aseis	hubierais buscado
3 busquen	busc-aran/asen	hubieran buscado

PAS. COMP. haya buscado *etc.*

INFINITIF	*PARTICIPE*
PRESENT	**PRESENT**
buscar	buscando
PASSE	**PASSE**
haber buscado	buscado

tenir (dans)

PRESENT	**IMPARFAIT**	**FUTUR**
1 quepo	cabía	cabré
2 cabes	cabías	cabrás
3 cabe	cabía	cabrá
1 cabemos	cabíamos	cabremos
2 cabéis	cabíais	cabréis
3 caben	cabían	cabrán

PASSE SIMPLE	**PASSE COMPOSE**	**PLUS-QUE-PARFAIT**
1 cupe	he cabido	había cabido
2 cupiste	has cabido	habías cabido
3 cupo	ha cabido	había cabido
1 cupimos	hemos cabido	habíamos cabido
2 cupisteis	habéis cabido	habíais cabido
3 cupieron	han cabido	habían cabido

PASSE ANTERIEUR	**FUTUR ANTERIEUR**
hube cabido *etc.*	habré cabido *etc.*

CONDITIONNEL

PRESENT	**PASSE**	*IMPERATIF*
1 cabría	habría cabido	
2 cabrías	habrías cabido	(tú) cabe
3 cabría	habría cabido	(Vd) quepa
1 cabríamos	habríamos cabido	(nosotros) quepamos
2 cabríais	habríais cabido	(vosotros) cabed
3 cabrían	habrían cabido	(Vds) quepan

SUBJONCTIF

PRESENT	**IMPARFAIT**	**PLUS-QUE-PARFAIT**
1 quepa	cup-iera/iese	hubiera cabido
2 quepas	cup-ieras/ieses	hubieras cabido
3 quepa	cup-iera/iese	hubiera cabido
1 quepamos	cup-iéramos/iésemos	hubiéramos cabido
2 quepáis	cup-ierais/ieseis	hubierais cabido
3 quepan	cup-ieran/iesen	hubieran cabido

PAS. COMP. haya cabido *etc.*

INFINITIF	*PARTICIPE*
PRESENT	**PRESENT**
caber	cabiendo
PASSE	**PASSE**
haber cabido	cabido

PRESENT	**IMPARFAIT**	**FUTUR**
1 caigo	caía	caeré
2 caes	caías	caerás
3 cae	caía	caerá
1 caemos	caíamos	caeremos
2 caéis	caíais	caeréis
3 caen	caían	caerán

PASSE SIMPLE	**PASSE COMPOSE**	**PLUS-QUE-PARFAIT**
1 caí	he caído	había caído
2 caíste	has caído	habías caído
3 cayó	ha caído	había caído
1 caímos	hemos caído	habíamos caído
2 caísteis	habéis caído	habíais caído
3 cayeron	han caído	habían caído

PASSE ANTERIEUR

hube caído *etc.*

FUTUR ANTERIEUR

habré caído *etc.*

CONDITIONNEL		*IMPERATIF*
PRESENT	**PASSE**	
1 caería	habría caído	
2 caerías	habrías caído	(tú) cae
3 caería	habría caído	(Vd) caiga
1 caeríamos	habríamos caído	(nosotros) caigamos
2 caeríais	habríais caído	(vosotros) caed
3 caerían	habrían caído	(Vds) caigan

SUBJONCTIF		
PRESENT	**IMPARFAIT**	**PLUS-QUE-PARFAIT**
1 caiga	ca-yera/yese	hubiera caído
2 caigas	ca-yeras/yeses	hubieras caído
3 caiga	ca-yera/yese	hubiera caído
1 caigamos	ca-yéramos/yésemos	hubiéramos caído
2 caigáis	ca-yerais/yeseis	hubierais caído
3 caigan	ca-yeran/yesen	hubieran caído

PAS. COMP. haya caído *etc.*

INFINITIF	*PARTICIPE*
PRESENT	**PRESENT**
caer	cayendo
PASSE	**PASSE**
haber caído	caído

38 CARGAR
charger

PRESENT	IMPARFAIT	FUTUR
1 cargo	cargaba	cargaré
2 cargas	cargabas	cargarás
3 carga	cargaba	cargará
1 cargamos	cargábamos	cargaremos
2 cargáis	cargabais	cargaréis
3 cargan	cargaban	cargarán

PASSE SIMPLE	PASSE COMPOSE	PLUS-QUE-PARFAIT
1 cargué	he cargado	había cargado
2 cargaste	has cargado	habías cargado
3 cargó	ha cargado	había cargado
1 cargamos	hemos cargado	habíamos cargado
2 cargasteis	habéis cargado	habíais cargado
3 cargaron	han cargado	habían cargado

PASSE ANTERIEUR

hube cargado *etc.*

FUTUR ANTERIEUR

habré cargado *etc.*

CONDITIONNEL		*IMPERATIF*
PRESENT	**PASSE**	
1 cargaría	habría cargado	
2 cargarías	habrías cargado	(tú) carga
3 cargaría	habría cargado	(Vd) cargue
1 cargaríamos	habríamos cargado	(nosotros) carguemos
2 cargaríais	habríais cargado	(vosotros) cargad
3 cargarían	habrían cargado	(Vds) carguen

SUBJONCTIF		
PRESENT	**IMPARFAIT**	**PLUS-QUE-PARFAIT**
1 cargue	carg-ara/ase	hubiera cargado
2 cargues	carg-aras/ases	hubieras cargado
3 cargue	carg-ara/ase	hubiera cargado
1 carguemos	carg-áramos/ásemos	hubiéramos cargado
2 carguéis	carg-arais/aseis	hubierais cargado
3 carguen	carg-aran/asen	hubieran cargado

PAS. COMP. haya cargado *etc.*

INFINITIF	*PARTICIPE*
PRESENT	**PRESENT**
cargar	cargando
PASSE	**PASSE**
haber cargado	cargado

PRESENT	**IMPARFAIT**	**FUTUR**
1 cazo	cazaba	cazaré
2 cazas	cazabas	cazarás
3 caza	cazaba	cazará
1 cazamos	cazábamos	cazaremos
2 cazáis	cazabais	cazaréis
3 cazan	cazaban	cazarán

PASSE SIMPLE	**PASSE COMPOSE**	**PLUS-QUE-PARFAIT**
1 cacé	he cazado	había cazado
2 cazaste	has cazado	habías cazado
3 cazó	ha cazado	había cazado
1 cazamos	hemos cazado	habíamos cazado
2 cazasteis	habéis cazado	habíais cazado
3 cazaron	han cazado	habían cazado

PASSE ANTERIEUR

hube cazado *etc*.

FUTUR ANTERIEUR

habré cazado *etc*.

CONDITIONNEL

PRESENT	**PASSE**	*IMPERATIF*
1 cazaría	habría cazado	
2 cazarías	habrías cazado	(tú) caza
3 cazaría	habría cazado	(Vd) cace
1 cazaríamos	habríamos cazado	(nosotros) cacemos
2 cazaríais	habríais cazado	(vosotros) cazad
3 cazarían	habrían cazado	(Vds) cacen

SUBJONCTIF

PRESENT	**IMPARFAIT**	**PLUS-QUE-PARFAIT**
1 cace	caz-ara/ase	hubiera cazado
2 caces	caz-aras/ases	hubieras cazado
3 cace	caz-ara/ase	hubiera cazado
1 cacemos	caz-áramos/ásemos	hubiéramos cazado
2 cacéis	caz-arais/aseis	hubierais cazado
3 cacen	caz-aran/asen	hubieran cazado

PAS. COMP. haya cazado *etc*.

INFINITIF	*PARTICIPE*
PRESENT	**PRESENT**
cazar	cazando
PASSE	**PASSE**
haber cazado	cazado

40 CERRAR
fermer

PRESENT	**IMPARFAIT**	**FUTUR**
1 cierro	cerraba	cerraré
2 cierras	cerrabas	cerrarás
3 cierra	cerraba	cerrará
1 cerramos	cerrábamos	cerraremos
2 cerráis	cerrabais	cerraréis
3 cierran	cerraban	cerrarán

PASSE SIMPLE	**PASSE COMPOSE**	**PLUS-QUE-PARFAIT**
1 cerré	he cerrado	había cerrado
2 cerraste	has cerrado	habías cerrado
3 cerró	ha cerrado	había cerrado
1 cerramos	hemos cerrado	habíamos cerrado
2 cerrasteis	habéis cerrado	habíais cerrado
3 cerraron	han cerrado	habían cerrado

PASSE ANTERIEUR	**FUTUR ANTERIEUR**
hube cerrado *etc.*	habré cerrado *etc.*

CONDITIONNEL

PRESENT	**PASSE**	*IMPERATIF*
1 cerraría	habría cerrado	
2 cerrarías	habrías cerrado	(tú) cierra
3 cerraría	habría cerrado	(Vd) cierre
1 cerraríamos	habríamos cerrado	(nosotros) cerremos
2 cerraríais	habríais cerrado	(vosotros) cerrad
3 cerrarían	habrían cerrado	(Vds) cierren

SUBJONCTIF

PRESENT	**IMPARFAIT**	**PLUS-QUE-PARFAIT**
1 cierre	cerr-ara/ase	hubiera cerrado
2 cierres	cerr-aras/ases	hubieras cerrado
3 cierre	cerr-ara/ase	hubiera cerrado
1 cerremos	cerr-áramos/ásemos	hubiéramos cerrado
2 cerréis	cerr-arais/aseis	hubierais cerrado
3 cierren	cerr-aran/asen	hubieran cerrado

PAS. COMP. haya cerrado *etc.*

INFINITIF	*PARTICIPE*
PRESENT	**PRESENT**
cerrar	cerrando
PASSE	**PASSE**
haber cerrado	cerrado

PRESENT	**IMPARFAIT**	**FUTUR**
1 cuezo	cocía	coceré
2 cueces	cocías	cocerás
3 cuece	cocía	cocerá
1 cocemos	cocíamos	coceremos
2 cocéis	cocíais	coceréis
3 cuecen	cocían	cocerán

PASSE SIMPLE	**PASSE COMPOSE**	**PLUS-QUE-PARFAIT**
1 cocí	he cocido	había cocido
2 cociste	has cocido	habías cocido
3 coció	ha cocido	había cocido
1 cocimos	hemos cocido	habíamos cocido
2 cocisteis	habéis cocido	habíais cocido
3 cocieron	han cocido	habían cocido

PASSE ANTERIEUR

hube cocido *etc*.

FUTUR ANTERIEUR

habré cocido *etc*.

CONDITIONNEL

PRESENT	**PASSE**	*IMPERATIF*
1 cocería	habría cocido	
2 cocerías	habrías cocido	(tú) cuece
3 cocería	habría cocido	(Vd) cueza
1 coceríamos	habríamos cocido	(nosotros) cozamos
2 coceríais	habríais cocido	(vosotros) coced
3 cocerían	habrían cocido	(Vds) cuezan

SUBJONCTIF

PRESENT	**IMPARFAIT**	**PLUS-QUE-PARFAIT**
1 cueza	coc-iera/iese	hubiera cocido
2 cuezas	coc-ieras/ieses	hubieras cocido
3 cueza	coc-iera/iese	hubiera cocido
1 cozamos	coc-iéramos/iésemos	hubiéramos cocido
2 cozáis	coc-ierais/ieseis	hubierais cocido
3 cuezan	coc-ieran/iesen	hubieran cocido

PAS. COMP. haya cocido *etc*.

INFINITIF	*PARTICIPE*
PRESENT	**PRESENT**
cocer	cociendo
PASSE	**PASSE**
haber cocido	cocido

COGER
attraper, prendre, cueillir

PRESENT	IMPARFAIT	FUTUR
1 cojo	cogía	cogeré
2 coges	cogías	cogerás
3 coge	cogía	cogerá
1 cogemos	cogíamos	cogeremos
2 cogéis	cogíais	cogeréis
3 cogen	cogían	cogerán

PASSE SIMPLE	PASSE COMPOSE	PLUS-QUE-PARFAIT
1 cogí	he cogido	había cogido
2 cogiste	has cogido	habías cogido
3 cogió	ha cogido	había cogido
1 cogimos	hemos cogido	habíamos cogido
2 cogisteis	habéis cogido	habíais cogido
3 cogieron	han cogido	habían cogido

PASSE ANTERIEUR

hube cogido *etc.*

FUTUR ANTERIEUR

habré cogido *etc.*

CONDITIONNEL

PRESENT	PASSE	*IMPERATIF*
1 cogería	habría cogido	
2 cogerías	habrías cogido	(tú) coge
3 cogería	habría cogido	(Vd) coja
1 cogeríamos	habríamos cogido	(nosotros) cojamos
2 cogeríais	habríais cogido	(vosotros) coged
3 cogerían	habrían cogido	(Vds) cojan

SUBJONCTIF

PRESENT	IMPARFAIT	PLUS-QUE-PARFAIT
1 coja	cog-iera/iese	hubiera cogido
2 cojas	cog-ieras/ieses	hubieras cogido
3 coja	cog-iera/iese	hubiera cogido
1 cojamos	cog-iéramos/iésemos	hubiéramos cogido
2 cojáis	cog-ierais/ieseis	hubierais cogido
3 cojan	cog-ieran/iesen	hubieran cogido

PAS. COMP. haya cogido *etc.*

INFINITIF	*PARTICIPE*
PRESENT	**PRESENT**
coger	cogiendo
PASSE	**PASSE**
haber cogido	cogido

PRESENT

1 cuelgo
2 cuelgas
3 cuelga
1 colgamos
2 colgáis
3 cuelgan

IMPARFAIT

colgaba
colgabas
colgaba
colgábamos
colgabais
colgaban

FUTUR

colgaré
colgarás
colgará
colgaremos
colgaréis
colgarán

PASSE SIMPLE

1 colgué
2 colgaste
3 colgó
1 colgamos
2 colgasteis
3 colgaron

PASSE COMPOSE

he colgado
has colgado
ha colgado
hemos colgado
habéis colgado
han colgado

PLUS-QUE-PARFAIT

había colgado
habías colgado
había colgado
habíamos colgado
habíais colgado
habían colgado

PASSE ANTERIEUR

hube colgado *etc*.

FUTUR ANTERIEUR

habré colgado *etc*.

CONDITIONNEL
PRESENT

1 colgaría
2 colgarías
3 colgaría
1 colgaríamos
2 colgaríais
3 colgarían

PASSE

habría colgado
habrías colgado
habría colgado
habríamos colgado
habríais colgado
habrían colgado

IMPERATIF

(tú) cuelga
(Vd) cuelgue
(nosotros) colguemos
(vosotros) colgad
(Vds) cuelguen

SUBJONCTIF
PRESENT

1 cuelgue
2 cuelgues
3 cuelgue
1 colguemos
2 colguéis
3 cuelguen

IMPARFAIT

colg-ara/ase
colg-aras/ases
colg-ara/ase
colg-áramos/ásemos
colg-arais/aseis
colg-aran/asen

PLUS-QUE-PARFAIT

hubiera colgado
hubieras colgado
hubiera colgado
hubiéramos colgado
hubierais colgado
hubieran colgado

PAS. COMP. haya colgado *etc*.

INFINITIF
PRESENT

colgar

PARTICIPE
PRESENT

colgando

PASSE

haber colgado

PASSE

colgado

44 COMENZAR
commencer

PRESENT	**IMPARFAIT**	**FUTUR**
1 comienzo	comenzaba	comenzaré
2 comienzas	comenzabas	comenzarás
3 comienza	comenzaba	comenzará
1 comenzamos	comenzábamos	comenzaremos
2 comenzáis	comenzabais	comenzaréis
3 comienzan	comenzaban	comenzarán

PASSE SIMPLE	**PASSE COMPOSE**	**PLUS-QUE-PARFAIT**
1 comencé	he comenzado	había comenzado
2 comenzaste	has comenzado	habías comenzado
3 comenzó	ha comenzado	había comenzado
1 comenzamos	hemos comenzado	habíamos comenzado
2 comenzasteis	habéis comenzado	habíais comenzado
3 comenzaron	han comenzado	habían comenzado

PASSE ANTERIEUR	**FUTUR ANTERIEUR**
hube comenzado *etc*.	habré comenzado *etc*.

CONDITIONNEL

PRESENT	**PASSE**	*IMPERATIF*
1 comenzaría	habría comenzado	
2 comenzarías	habrías comenzado	(tú) comienza
3 comenzaría	habría comenzado	(Vd) comience
1 comenzaríamos	habríamos comenzado	(nosotros) comencemos
2 comenzaríais	habríais comenzado	(vosotros) comenzad
3 comenzarían	habrían comenzado	(Vds) comiencen

SUBJONCTIF

PRESENT	**IMPARFAIT**	**PLUS-QUE-PARFAIT**
1 comience	comenz-ara/ase	hubiera comenzado
2 comiences	comenz-aras/ases	hubieras comenzado
3 comience	comenz-ara/ase	hubiera comenzado
1 comencemos	comenz-áramos/ásemos	hubiéramos comenzado
2 comencéis	comenz-arais/aseis	hubierais comenzado
3 comiencen	comenz-aran/asen	hubieran comenzado

PAS. COMP. haya comenzado *etc*.

INFINITIF	*PARTICIPE*
PRESENT	**PRESENT**
comenzar	comenzando
PASSE	**PASSE**
haber comenzado	comenzado

PRESENT	**IMPARFAIT**	**FUTUR**
1 como	comía	comeré
2 comes	comías	comerás
3 come	comía	comerá
1 comemos	comíamos	comeremos
2 coméis	comíais	comeréis
3 comen	comían	comerán

PASSE SIMPLE	**PASSE COMPOSE**	**PLUS-QUE-PARFAIT**
1 comí	he comido	había comido
2 comiste	has comido	habías comido
3 comió	ha comido	había comido
1 comimos	hemos comido	habíamos comido
2 comisteis	habéis comido	habíais comido
3 comieron	han comido	habían comido

PASSE ANTERIEUR

hube comido *etc.*

FUTUR ANTERIEUR

habré comido *etc.*

CONDITIONNEL

PRESENT	**PASSE**	*IMPERATIF*
1 comería	habría comido	
2 comerías	habrías comido	(tú) come
3 comería	habría comido	(Vd) coma
1 comeríamos	habríamos comido	(nosotros) comamos
2 comeríais	habríais comido	(vosotros) comed
3 comerían	habrían comido	(Vds) coman

SUBJONCTIF

PRESENT	**IMPARFAIT**	**PLUS-QUE-PARFAIT**
1 coma	com-iera/iese	hubiera comido
2 comas	com-ieras/ieses	hubieras comido
3 coma	com-iera/iese	hubiera comido
1 comamos	com-iéramos/iésemos	hubiéramos comido
2 comáis	com-ierais/ieseis	hubierais comido
3 coman	com-ieran/iesen	hubieran comido

PAS. COMP. haya comido *etc.*

INFINITIF	*PARTICIPE*
PRESENT	**PRESENT**
comer	comiendo
PASSE	**PASSE**
haber comido	comido

COMPETER
être de la compétence de

PRESENT	IMPARFAIT	FUTUR
3 compete	competía	competerá
3 competen	competían	competerán
PASSE SIMPLE	**PASSE COMPOSE**	**PLUS-QUE-PARFAIT**
3 competió	ha competido	había competido
3 competieron	han competido	habían competido
PASSE ANTERIEUR hubo competido *etc*.		**FUTUR ANTERIEUR** habrá competido *etc*.

CONDITIONNEL PRESENT	PASSE	*IMPERATIF*
3 competería	habría competido	
3 competerían	habrían competido	

SUBJONCTIF PRESENT	IMPARFAIT	PLUS-QUE-PARFAIT
3 competa	compet-iera/iese	hubiera competido
3 competan	compet-ieran/iesen	hubieran competido
PAS. COMP. haya competido *etc*.		

INFINITIF PRESENT	*PARTICIPE* PRESENT
competer	competiendo
PASSE haber competido	**PASSE** competido

PRESENT	**IMPARFAIT**	**FUTUR**
1 compro	compraba	compraré
2 compras	comprabas	comprarás
3 compra	compraba	comprará
1 compramos	comprábamos	compraremos
2 compráis	comprabais	compraréis
3 compran	compraban	comprarán

PASSE SIMPLE	**PASSE COMPOSE**	**PLUS-QUE-PARFAIT**
1 compré	he comprado	había comprado
2 compraste	has comprado	habías comprado
3 compró	ha comprado	había comprado
1 compramos	hemos comprado	habíamos comprado
2 comprasteis	habéis comprado	habíais comprado
3 compraron	han comprado	habían comprado

PASSE ANTERIEUR

hube comprado *etc.*

FUTUR ANTERIEUR

habré comprado *etc.*

CONDITIONNEL

PRESENT	**PASSE**	*IMPERATIF*
1 compraría	habría comprado	
2 comprarías	habrías comprado	(tú) compra
3 compraría	habría comprado	(Vd) compre
1 compraríamos	habríamos comprado	(nosotros) compremos
2 compraríais	habríais comprado	(vosotros) comprad
3 comprarían	habrían comprado	(Vds) compren

SUBJONCTIF

PRESENT	**IMPARFAIT**	**PLUS-QUE-PARFAIT**
1 compre	compr-ara/ase	hubiera comprado
2 compres	compr-aras/ases	hubieras comprado
3 compre	compr-ara/ase	hubiera comprado
1 compremos	compr-áramos/ásemos	hubiéramos comprado
2 compréis	compr-arais/aseis	hubierais comprado
3 compren	compr-aran/asen	hubieran comprado

PAS. COMP. haya comprado *etc.*

INFINITIF	*PARTICIPE*
PRESENT	**PRESENT**
comprar	comprando
PASSE	**PASSE**
haber comprado	comprado

48 CONCEBIR
concevoir

PRESENT	IMPARFAIT	FUTUR
1 concibo	concebía	concebiré
2 concibes	concebías	concebirás
3 concibe	concebía	concebirá
1 concebimos	concebíamos	concebiremos
2 concebís	concebíais	concebiréis
3 conciben	concebían	concebirán

PASSE SIMPLE	PASSE COMPOSE	PLUS-QUE-PARFAIT
1 concebí	he concebido	había concebido
2 concebiste	has concebido	habías concebido
3 concibió	ha concebido	había concebido
1 concebimos	hemos concebido	habíamos concebido
2 concebisteis	habéis concebido	habíais concebido
3 concibieron	han concebido	habían concebido

PASSE ANTERIEUR

hube concebido *etc*.

FUTUR ANTERIEUR

habré concebido *etc*.

CONDITIONNEL

PRESENT	PASSE	IMPERATIF
1 concebiría	habría concebido	
2 concebirías	habrías concebido	(tú) concibe
3 concebiría	habría concebido	(Vd) conciba
1 concebiríamos	habríamos concebido	(nosotros) concibamos
2 concebiríais	habríais concebido	(vosotros) concebid
3 concebirían	habrían concebido	(Vds) conciban

SUBJONCTIF

PRESENT	IMPARFAIT	PLUS-QUE-PARFAIT
1 conciba	concib-iera/iese	hubiera concebido
2 concibas	concib-ieras/ieses	hubieras concebido
3 conciba	concib-iera/iese	hubiera concebido
1 concibamos	concib-iéramos/iésemos	hubiéramos concebido
2 concibáis	concib-ierais/ieseis	hubierais concebido
3 conciban	concib-ieran/iesen	hubieran concebido

PAS. COMP. haya concebido *etc*.

INFINITIF	PARTICIPE
PRESENT	PRESENT
concebir	concibiendo
PASSE	PASSE
haber concebido	concebido

PRESENT	IMPARFAIT	FUTUR
3 concierne	concernía	concernirá
3 conciernen	concernían	concernirán

PASSE SIMPLE	PASSE COMPOSE	PLUS-QUE-PARFAIT
3 concirnió	ha concernido	había concernido
3 concirnieron	han concernido	habían concernido

PASSE ANTERIEUR
hubo concernido *etc.*

FUTUR ANTERIEUR
habrá concernido *etc.*

CONDITIONNEL PRESENT	PASSE	*IMPERATIF*
3 concerniría	habría concernido	
3 concernirían	habrían concernido	

SUBJONCTIF PRESENT	IMPARFAIT	PLUS-QUE-PARFAIT
3 concierna	concern-iera/iese	hubiera concernido
3 conciernan	concern-ieran/iesen	hubieran concernido

PAS. COMP. haya concernido *etc.*

INFINITIF PRESENT	*PARTICIPE* PRESENT
concernir	concerniendo

PASSE	PASSE
haber concernido	concernido

50 CONDUCIR
conduire

PRESENT	**IMPARFAIT**	**FUTUR**
1 conduzco	conducía	conduciré
2 conduces	conducías	conducirás
3 conduce	conducía	conducirá
1 conducimos	conducíamos	conduciremos
2 conducís	conducíais	conduciréis
3 conducen	conducían	conducirán

PASSE SIMPLE	**PASSE COMPOSE**	**PLUS-QUE-PARFAIT**
1 conduje	he conducido	había conducido
2 condujiste	has conducido	habías conducido
3 condujo	ha conducido	había conducido
1 condujimos	hemos conducido	habíamos conducido
2 condujisteis	habéis conducido	habíais conducido
3 condujeron	han conducido	habían conducido

PASSE ANTERIEUR

hube conducido *etc.*

FUTUR ANTERIEUR

habré conducido *etc.*

CONDITIONNEL		*IMPERATIF*
PRESENT	**PASSE**	
1 conduciría	habría conducido	
2 conducirías	habrías conducido	(tú) conduce
3 conduciría	habría conducido	(Vd) conduzca
1 conduciríamos	habríamos conducido	(nosotros) conduzcamos
2 conduciríais	habríais conducido	(vosotros) conducid
3 conducirían	habrían conducido	(Vds) conduzcan

SUBJONCTIF		
PRESENT	**IMPARFAIT**	**PLUS-QUE-PARFAIT**
1 conduzca	conduj-era/ese	hubiera conducido
2 conduzcas	conduj-eras/eses	hubieras conducido
3 conduzca	conduj-era/ese	hubiera conducido
1 conduzcamos	conduj-éramos/ésemos	hubiéramos conducido
2 conduzcáis	conduj-erais/eseis	hubierais conducido
3 conduzcan	conduj-eran/esen	hubieran conducido

PAS. COMP. haya conducido *etc.*

INFINITIF	*PARTICIPE*
PRESENT	**PRESENT**
conducir	conduciendo
PASSE	**PASSE**
haber conducido	conducido

PRESENT	**IMPARFAIT**	**FUTUR**
1 conozco	conocía	conoceré
2 conoces	conocías	conocerás
3 conoce	conocía	conocerá
1 conocemos	conocíamos	conoceremos
2 conocéis	conocíais	conoceréis
3 conocen	conocían	conocerán

PASSE SIMPLE	**PASSE COMPOSE**	**PLUS-QUE-PARFAIT**
1 conocí	he conocido	había conocido
2 conociste	has conocido	habías conocido
3 conoció	ha conocido	había conocido
1 conocimos	hemos conocido	habíamos conocido
2 conocisteis	habéis conocido	habíais conocido
3 conocieron	han conocido	habían conocido

PASSE ANTERIEUR

hube conocido *etc.*

FUTUR ANTERIEUR

habré conocido *etc.*

CONDITIONNEL

PRESENT	**PASSE**	*IMPERATIF*
1 conocería	habría conocido	
2 conocerías	habrías conocido	(tú) conoce
3 conocería	habría conocido	(Vd) conozca
1 conoceríamos	habríamos conocido	(nosotros) conozcamos
2 conoceríais	habríais conocido	(vosotros) conoced
3 conocerían	habrían conocido	(Vds) conozcan

SUBJONCTIF

PRESENT	**IMPARFAIT**	**PLUS-QUE-PARFAIT**
1 conozca	conoc-iera/iese	hubiera conocido
2 conozcas	conoc-ieras/ieses	hubieras conocido
3 conozca	conoc-iera/iese	hubiera conocido
1 conozcamos	conoc-iéramos/iésemos	hubiéramos conocido
2 conozcáis	conoc-ierais/ieseis	hubierais conocido
3 conozcan	conoc-ieran/iesen	hubieran conocido

PAS. COMP. haya conocido *etc.*

INFINITIF	*PARTICIPE*
PRESENT	**PRESENT**
conocer	conociendo
PASSE	**PASSE**
haber conocido	conocido

PRESENT	**IMPARFAIT**	**FUTUR**
1 consuelo	consolaba	consolaré
2 consuelas	consolabas	consolarás
3 consuela	consolaba	consolará
1 consolamos	consolábamos	consolaremos
2 consoláis	consolabais	consolaréis
3 consuelan	consolaban	consolarán

PASSE SIMPLE	**PASSE COMPOSE**	**PLUS-QUE-PARFAIT**
1 consolé	he consolado	había consolado
2 consolaste	has consolado	habías consolado
3 consoló	ha consolado	había consolado
1 consolamos	hemos consolado	habíamos consolado
2 consolasteis	habéis consolado	habíais consolado
3 consolaron	han consolado	habían consolado

PASSE ANTERIEUR	**FUTUR ANTERIEUR**
hube consolado *etc*.	habré consolado *etc*.

CONDITIONNEL		*IMPERATIF*
PRESENT	**PASSE**	
1 consolaría	habría consolado	
2 consolarías	habrías consolado	(tú) consuela
3 consolaría	habría consolado	(Vd) consuele
1 consolaríamos	habríamos consolado	(nosotros) consolemos
2 consolaríais	habríais consolado	(vosotros) consolad
3 consolarían	habrían consolado	(Vds) consuelen

SUBJONCTIF		
PRESENT	**IMPARFAIT**	**PLUS-QUE-PARFAIT**
1 consuele	consol-ara/ase	hubiera consolado
2 consueles	consol-aras/ases	hubieras consolado
3 consuele	consol-ara/ase	hubiera consolado
1 consolemos	consol-áramos/ásemos	hubiéramos consolado
2 consoléis	consol-arais/aseis	hubierais consolado
3 consuelen	consol-aran/asen	hubieran consolado

PAS. COMP. haya consolado *etc*.

INFINITIF	*PARTICIPE*
PRESENT	**PRESENT**
consolar	consolando
PASSE	**PASSE**
haber consolado	consolado

PRESENT	**IMPARFAIT**	**FUTUR**
1 construyo	construía	construiré
2 construyes	construías	construirás
3 construye	construía	construirá
1 construimos	construíamos	construiremos
2 construís	construíais	construiréis
3 construyen	construían	construirán

PASSE SIMPLE	**PASSE COMPOSE**	**PLUS-QUE-PARFAIT**
1 construí	he construido	había construido
2 construiste	has construido	habías construido
3 construyó	ha construido	había construido
1 construimos	hemos construido	habíamos construido
2 construisteis	habéis construido	habíais construido
3 construyeron	han construido	habían construido

PASSE ANTERIEUR

hube construido *etc*.

FUTUR ANTERIEUR

habré construido *etc*.

CONDITIONNEL

PRESENT	**PASSE**	*IMPERATIF*
1 construiría	habría construido	
2 construirías	habrías construido	(tú) construye
3 construiría	habría construido	(Vd) construya
1 construiríamos	habríamos construido	(nosotros) construyamos
2 construiríais	habríais construido	(vosotros) construid
3 construirían	habrían construido	(Vds) construyan

SUBJONCTIF

PRESENT	**IMPARFAIT**	**PLUS-QUE-PARFAIT**
1 construya	constru-yera/yese	hubiera construido
2 construyas	constru-yeras/yeses	hubieras construido
3 construya	constru-yera/yese	hubiera construido
1 construyamos	constru-yéramos/yésemos	hubiéramos construido
2 construyáis	constru-yerais/yeseis	hubierais construido
3 construyan	constru-yeran/yesen	hubieran construido

PAS. COMP. haya construido *etc*.

INFINITIF	*PARTICIPE*
PRESENT	**PRESENT**
construir	construyendo
PASSE	**PASSE**
haber construido	construido

54 CONTAR
raconter, compter

PRESENT	IMPARFAIT	FUTUR
1 cuento	contaba	contaré
2 cuentas	contabas	contarás
3 cuenta	contaba	contará
1 contamos	contábamos	contaremos
2 contáis	contabais	contaréis
3 cuentan	contaban	contarán

PASSE SIMPLE	PASSE COMPOSE	PLUS-QUE-PARFAIT
1 conté	he contado	había contado
2 contaste	has contado	habías contado
3 contó	ha contado	había contado
1 contamos	hemos contado	habíamos contado
2 contasteis	habéis contado	habíais contado
3 contaron	han contado	habían contado

PASSE ANTERIEUR

hube contado *etc.*

FUTUR ANTERIEUR

habré contado *etc.*

CONDITIONNEL

PRESENT	PASSE	IMPERATIF
1 contaría	habría contado	
2 contarías	habrías contado	(tú) cuenta
3 contaría	habría contado	(Vd) cuente
1 contaríamos	habríamos contado	(nosotros) contemos
2 contaríais	habríais contado	(vosotros) contad
3 contarían	habrían contado	(Vds) cuenten

SUBJONCTIF

PRESENT	IMPARFAIT	PLUS-QUE-PARFAIT
1 cuente	cont-ara/ase	hubiera contado
2 cuentes	cont-aras/ases	hubieras contado
3 cuente	cont-ara/ase	hubiera contado
1 contemos	cont-áramos/ásemos	hubiéramos contado
2 contéis	cont-arais/aseis	hubierais contado
3 cuenten	cont-aran/asen	hubieran contado

PAS. COMP. haya contado *etc.*

INFINITIF	PARTICIPE
PRESENT	**PRESENT**
contar	contando
PASSE	**PASSE**
haber contado	contado

PRESENT	**IMPARFAIT**	**FUTUR**
1 contesto	contestaba	contestaré
2 contestas	contestabas	contestarás
3 contesta	contestaba	contestará
1 contestamos	contestábamos	contestaremos
2 contestáis	contestabais	contestaréis
3 contestan	contestaban	contestarán

PASSE SIMPLE	**PASSE COMPOSE**	**PLUS-QUE-PARFAIT**
1 contesté	he contestado	había contestado
2 contestaste	has contestado	habías contestado
3 contestó	ha contestado	había contestado
1 contestamos	hemos contestado	habíamos contestado
2 contestasteis	habéis contestado	habíais contestado
3 contestaron	han contestado	habían contestado

PASSE ANTERIEUR

hube contestado *etc.*

FUTUR ANTERIEUR

habré contestado *etc.*

CONDITIONNEL		*IMPERATIF*
PRESENT	**PASSE**	
1 contestaría	habría contestado	
2 contestarías	habrías contestado	(tú) contesta
3 contestaría	habría contestado	(Vd) conteste
1 contestaríamos	habríamos contestado	(nosotros) contestemos
2 contestaríais	habíais contestado	(vosotros) contestad
3 contestarían	habrían contestado	(Vds) contesten

SUBJONCTIF		
PRESENT	**IMPARFAIT**	**PLUS-QUE-PARFAIT**
1 conteste	contest-ara/ase	hubiera contestado
2 contestes	contest-aras/ases	hubieras contestado
3 conteste	contest-ara/ase	hubiera contestado
1 contestemos	contest-áramos/ásemos	hubiéramos contestado
2 contestéis	contest-arais/aseis	hubierais contestado
3 contesten	contest-aran/asen	hubieran contestado

PAS. COMP. haya contestado *etc.*

INFINITIF	*PARTICIPE*
PRESENT	**PRESENT**
contestar	contestando
PASSE	**PASSE**
haber contestado	contestado

PRESENT	IMPARFAIT	FUTUR
1 continúo	continuaba	continuaré
2 continúas	continuabas	continuarás
3 continúa	continuaba	continuará
1 continuamos	continuábamos	continuaremos
2 continuáis	continuabais	continuaréis
3 continúan	continuaban	continuarán

PASSE SIMPLE	PASSE COMPOSE	PLUS-QUE-PARFAIT
1 continué	he continuado	había continuado
2 continuaste	has continuado	habías continuado
3 continuó	ha continuado	había continuado
1 continuamos	hemos continuado	habíamos continuado
2 continuasteis	habéis continuado	habíais continuado
3 continuaron	han continuado	habían continuado

PASSE ANTERIEUR	FUTUR ANTERIEUR
hube continuado *etc.*	habré continuado *etc.*

CONDITIONNEL		*IMPERATIF*
PRESENT	**PASSE**	
1 continuaría	habría continuado	
2 continuarías	habrías continuado	(tú) continúa
3 continuaría	habría continuado	(Vd) continúe
1 continuaríamos	habríamos continuado	(nosotros) continuemos
2 continuaríais	habríais continuado	(vosotros) continuad
3 continuarían	habrían continuado	(Vds) continúen

SUBJONCTIF		
PRESENT	**IMPARFAIT**	**PLUS-QUE-PARFAIT**
1 continúe	continu-ara/ase	hubiera continuado
2 continúes	continu-aras/ases	hubieras continuado
3 continúe	continu-ara/ase	hubiera continuado
1 continuemos	continu-áramos/ásemos	hubiéramos continuado
2 continuéis	continu-arais/aseis	hubierais continuado
3 continúen	continu-aran/asen	hubieran continuado

PAS. COMP. haya continuado *etc.*

INFINITIF	*PARTICIPE*
PRESENT	**PRESENT**
continuar	continuando
PASSE	**PASSE**
haber continuado	continuado

PRESENT

1 corrijo
2 corriges
3 corrige
1 corregimos
2 corregís
3 corrigen

IMPARFAIT

corregía
corregías
corregía
corregíamos
corregíais
corregían

FUTUR

corregiré
corregirás
corregirá
corregiremos
corregiréis
corregirán

PASSE SIMPLE

1 corregí
2 corregiste
3 corrigió
1 corregimos
2 corregisteis
3 corrigieron

PASSE COMPOSE

he corregido
has corregido
ha corregido
hemos corregido
habéis corregido
han corregido

PLUS-QUE-PARFAIT

había corregido
habías corregido
había corregido
habíamos corregido
habíais corregido
habían corregido

PASSE ANTERIEUR

hube corregido *etc.*

FUTUR ANTERIEUR

habré corregido *etc.*

CONDITIONNEL
PRESENT

1 corregiría
2 corregirías
3 corregiría
1 corregiríamos
2 corregiríais
3 corregirían

PASSE

habría corregido
habrías corregido
habría corregido
habríamos corregido
habríais corregido
habrían corregido

IMPERATIF

(tú) corrige
(Vd) corrija
(nosotros) corrijamos
(vosotros) corregid
(Vds) corrijan

SUBJONCTIF
PRESENT

1 corrija
2 corrijas
3 corrija
1 corrijamos
2 corrijáis
3 corrijan

IMPARFAIT

corrig-iera/iese
corrig-ieras/ieses
corrig-iera/iese
corrig-iéramos/iésemos
corrig-ierais/ieseis
corrig-ieran/iesen

PLUS-QUE-PARFAIT

hubiera corregido
hubieras corregido
hubiera corregido
hubiéramos corregido
hubierais corregido
hubieran corregido

PAS. COMP. haya corregido *etc.*

INFINITIF
PRESENT

corregir

PARTICIPE
PRESENT

corrigiendo

PASSE

haber corregido

PASSE

corregido

PRESENT	**IMPARFAIT**	**FUTUR**
1 corro	corría	correré
2 corres	corrías	correrás
3 corre	corría	correrá
1 corremos	corríamos	correremos
2 corréis	corríais	correréis
3 corren	corrían	correrán

PASSE SIMPLE	**PASSE COMPOSE**	**PLUS-QUE-PARFAIT**
1 corrí	he corrido	había corrido
2 corriste	has corrido	habías corrido
3 corrió	ha corrido	había corrido
1 corrimos	hemos corrido	habíamos corrido
2 corristeis	habéis corrido	habíais corrido
3 corrieron	han corrido	habían corrido

PASSE ANTERIEUR

hube corrido *etc.*

FUTUR ANTERIEUR

habré corrido *etc.*

CONDITIONNEL		*IMPERATIF*
PRESENT	**PASSE**	
1 correría	habría corrido	
2 correrías	habrías corrido	(tú) corre
3 correría	habría corrido	(Vd) corra
1 correríamos	habríamos corrido	(nosotros) corramos
2 correríais	habríais corrido	(vosotros) corred
3 correrían	habrían corrido	(Vds) corran

SUBJONCTIF		
PRESENT	**IMPARFAIT**	**PLUS-QUE-PARFAIT**
1 corra	corr-iera/iese	hubiera corrido
2 corras	corr-ieras/ieses	hubieras corrido
3 corra	corr-iera/iese	hubiera corrido
1 corramos	corr-iéramos/iésemos	hubiéramos corrido
2 corráis	corr-ierais/ieseis	hubierais corrido
3 corran	corr-ieran/iesen	hubieran corrido

PAS. COMP. haya corrido *etc.*

INFINITIF	*PARTICIPE*
PRESENT	**PRESENT**
correr	corriendo
PASSE	**PASSE**
haber corrido	corrido

PRESENT	**IMPARFAIT**	**FUTUR**
1 cuesto	costaba	costaré
2 cuestas	costabas	costarás
3 cuesta	costaba	costará
1 costamos	costábamos	costaremos
2 costáis	costabais	costaréis
3 cuestan	costaban	costarán

PASSE SIMPLE	**PASSE COMPOSE**	**PLUS-QUE-PARFAIT**
1 costé	he costado	había costado
2 costaste	has costado	habías costado
3 costó	ha costado	había costado
1 costamos	hemos costado	habíamos costado
2 costasteis	habéis costado	habíais costado
3 costaron	han costado	habían costado

PASSE ANTERIEUR

hube costado *etc.*

FUTUR ANTERIEUR

habré costado *etc.*

CONDITIONNEL

PRESENT	**PASSE**	*IMPERATIF*
1 costaría	habría costado	
2 costarías	habrías costado	(tú) cuesta
3 costaría	habría costado	(Vd) cueste
1 costaríamos	habríamos costado	(nosotros) costemos
2 costaríais	habríais costado	(vosotros) costad
3 costarían	habrían costado	(Vds) cuesten

SUBJONCTIF

PRESENT	**IMPARFAIT**	**PLUS-QUE-PARFAIT**
1 cueste	cost-ara/ase	hubiera costado
2 cuestes	cost-aras/ases	hubieras costado
3 cueste	cost-ara/ase	hubiera costado
1 costemos	cost-áramos/ásemos	hubiéramos costado
2 costéis	cost-arais/aseis	hubierais costado
3 cuesten	cost-aran/asen	hubieran costado

PAS. COMP. haya costado *etc.*

INFINITIF	*PARTICIPE*
PRESENT	**PRESENT**
costar	costando
PASSE	**PASSE**
haber costado	costado

augmenter, grandir

PRESENT	IMPARFAIT	FUTUR
1 crezco	crecía	creceré
2 creces	crecías	crecerás
3 crece	crecía	crecerá
1 crecemos	crecíamos	creceremos
2 crecéis	crecíais	creceréis
3 crecen	crecían	crecerán

PASSE SIMPLE	PASSE COMPOSE	PLUS-QUE-PARFAIT
1 crecí	he crecido	había crecido
2 creciste	has crecido	habías crecido
3 creció	ha crecido	había crecido
1 crecimos	hemos crecido	habíamos crecido
2 crecisteis	habéis crecido	habíais crecido
3 crecieron	han crecido	habían crecido

PASSE ANTERIEUR

hube crecido *etc.*

FUTUR ANTERIEUR

habré crecido *etc.*

CONDITIONNEL		*IMPERATIF*
PRESENT	**PASSE**	
1 crecería	habría crecido	
2 crecerías	habrías crecido	(tú) crece
3 crecería	habría crecido	(Vd) crezca
1 creceríamos	habríamos crecido	(nosotros) crezcamos
2 creceríais	habríais crecido	(vosotros) creced
3 crecerían	habrían crecido	(Vds) crezcan

SUBJONCTIF		
PRESENT	**IMPARFAIT**	**PLUS-QUE-PARFAIT**
1 crezca	crec-iera/iese	hubiera crecido
2 crezcas	crec-ieras/ieses	hubieras crecido
3 crezca	crec-iera/iese	hubiera crecido
1 crezcamos	crec-iéramos/iésemos	hubiéramos crecido
2 crezcáis	crec-ierais/ieseis	hubierais crecido
3 crezcan	crec-ieran/iesen	hubieran crecido

PAS. COMP. haya crecido *etc.*

INFINITIF	*PARTICIPE*
PRESENT	**PRESENT**
crecer	creciendo
PASSE	**PASSE**
haber crecido	crecido

PRESENT	**IMPARFAIT**	**FUTUR**
1 creo	creía	creeré
2 crees	creías	creerás
3 cree	creía	creerá
1 creemos	creíamos	creeremos
2 creéis	creíais	creeréis
3 creen	creían	creerán

PASSE SIMPLE	**PASSE COMPOSE**	**PLUS-QUE-PARFAIT**
1 creí	he creído	había creído
2 creíste	has creído	habías creído
3 creyó	ha creído	había creído
1 creímos	hemos creído	habíamos creído
2 creísteis	habéis creído	habíais creído
3 creyeron	han creído	habían creído

PASSE ANTERIEUR

hube creído *etc.*

FUTUR ANTERIEUR

habré creído *etc.*

CONDITIONNEL
PRESENT	**PASSE**	*IMPERATIF*
1 creería	habría creído	
2 creerías	habrías creído	(tú) cree
3 creería	habría creído	(Vd) crea
1 creeríamos	habríamos creído	(nosotros) creamos
2 creeríais	habríais creído	(vosotros) creed
3 creerían	habrían creído	(Vds) crean

SUBJONCTIF
PRESENT	**IMPARFAIT**	**PLUS-QUE-PARFAIT**
1 crea	cre-yera/yese	hubiera creído
2 creas	cre-yeras/yeses	hubieras creído
3 crea	cre-yera/yese	hubiera creído
1 creamos	cre-yéramos/yésemos	hubiéramos creído
2 creáis	cre-yerais/yeseis	hubierais creído
3 crean	cre-yeran/yesen	hubieran creído

PAS. COMP. haya creído *etc.*

INFINITIF	*PARTICIPE*
PRESENT	**PRESENT**
creer	creyendo
PASSE	**PASSE**
haber creído	creído

62 CRUZAR
croiser, traverser

PRESENT	IMPARFAIT	FUTUR
1 cruzo	cruzaba	cruzaré
2 cruzas	cruzabas	cruzarás
3 cruza	cruzaba	cruzará
1 cruzamos	cruzábamos	cruzaremos
2 cruzáis	cruzabais	cruzaréis
3 cruzan	cruzaban	cruzarán

PASSE SIMPLE	PASSE COMPOSE	PLUS-QUE-PARFAIT
1 crucé	he cruzado	había cruzado
2 cruzaste	has cruzado	habías cruzado
3 cruzó	ha cruzado	había cruzado
1 cruzamos	hemos cruzado	habíamos cruzado
2 cruzasteis	habéis cruzado	habíais cruzado
3 cruzaron	han cruzado	habían cruzado

PASSE ANTERIEUR

hube cruzado *etc*.

FUTUR ANTERIEUR

habré cruzado *etc*.

CONDITIONNEL

PRESENT	PASSE	*IMPERATIF*
1 cruzaría	habría cruzado	
2 cruzarías	habrías cruzado	(tú) cruza
3 cruzaría	habría cruzado	(Vd) cruce
1 cruzaríamos	habríamos cruzado	(nosotros) crucemos
2 cruzaríais	habríais cruzado	(vosotros) cruzad
3 cruzarían	habrían cruzado	(Vds) crucen

SUBJONCTIF

PRESENT	IMPARFAIT	PLUS-QUE-PARFAIT
1 cruce	cruz-ara/ase	hubiera cruzado
2 cruces	cruz-aras/ases	hubieras cruzado
3 cruce	cruz-ara/ase	hubiera cruzado
1 crucemos	cruz-áramos/ásemos	hubiéramos cruzado
2 crucéis	cruz-arais/aseis	hubierais cruzado
3 crucen	cruz-aran/asen	hubieran cruzado

PAS. COMP. haya cruzado *etc*.

INFINITIF	*PARTICIPE*
PRESENT	PRESENT
cruzar	cruzando
PASSE	**PASSE**
haber cruzado	cruzado

PRESENT	**IMPARFAIT**	**FUTUR**
1 cubro	cubría	cubriré
2 cubres	cubrías	cubrirás
3 cubre	cubría	cubrirá
1 cubrimos	cubríamos	cubriremos
2 cubrís	cubríais	cubriréis
3 cubren	cubrían	cubrirán

PASSE SIMPLE	**PASSE COMPOSE**	**PLUS-QUE-PARFAIT**
1 cubrí	he cubierto	había cubierto
2 cubriste	has cubierto	habías cubierto
3 cubrió	ha cubierto	había cubierto
1 cubrimos	hemos cubierto	habíamos cubierto
2 cubristeis	habéis cubierto	habíais cubierto
3 cubrieron	han cubierto	habían cubierto

PASSE ANTERIEUR

hube cubierto *etc.*

FUTUR ANTERIEUR

habré cubierto *etc.*

CONDITIONNEL

PRESENT	**PASSE**	*IMPERATIF*
1 cubriría	habría cubierto	
2 cubrirías	habrías cubierto	
3 cubriría	habría cubierto	(tú) cubre
1 cubriríamos	habríamos cubierto	(Vd) cubra
2 cubriríais	habríais cubierto	(nosotros) cubramos
3 cubrirían	habrían cubierto	(vosotros) cubrid
		(Vds) cubran

SUBJONCTIF

PRESENT	**IMPARFAIT**	**PLUS-QUE-PARFAIT**
1 cubra	cubr-iera/iese	hubiera cubierto
2 cubras	cubr-ieras/ieses	hubieras cubierto
3 cubra	cubr-iera/iese	hubiera cubierto
1 cubramos	cubr-iéramos/iésemos	hubiéramos cubierto
2 cubráis	cubr-ierais/ieseis	hubierais cubierto
3 cubran	cubr-ieran/iesen	hubieran cubierto

PAS. COMP. haya cubierto *etc.*

INFINITIF	*PARTICIPE*
PRESENT	**PRESENT**
cubrir	cubriendo
PASSE	**PASSE**
haber cubierto	cubierto

64 DAR
donner

PRESENT	IMPARFAIT	FUTUR
1 doy	daba	daré
2 das	dabas	darás
3 da	daba	dará
1 damos	dábamos	daremos
2 dais	dabais	daréis
3 dan	daban	darán

PASSE SIMPLE	PASSE COMPOSE	PLUS-QUE-PARFAIT
1 di	he dado	había dado
2 diste	has dado	habías dado
3 dio	ha dado	había dado
1 dimos	hemos dado	habíamos dado
2 disteis	habéis dado	habíais dado
3 dieron	han dado	habían dado

PASSE ANTERIEUR

hube dado *etc*.

FUTUR ANTERIEUR

habré dado *etc*.

CONDITIONNEL

PRESENT	PASSE	*IMPERATIF*
1 daría	habría dado	
2 darías	habrías dado	(tú) da
3 daría	habría dado	(Vd) dé
1 daríamos	habríamos dado	(nosotros) demos
2 daríais	habríais dado	(vosotros) dad
3 darían	habrían dado	(Vds) den

SUBJONCTIF

PRESENT	IMPARFAIT	PLUS-QUE-PARFAIT
1 dé	di-era/ese	hubiera dado
2 des	di-eras/eses	hubieras dado
3 dé	di-era/ese	hubiera dado
1 demos	di-éramos/ésemos	hubiéramos dado
2 deis	di-erais/eseis	hubierais dado
3 den	di-eran/esen	hubieran dado

PAS. COMP. haya dado *etc*.

INFINITIF	*PARTICIPE*
PRESENT	PRESENT
dar	dando
PASSE	PASSE
haber dado	dado

PRESENT	**IMPARFAIT**	**FUTUR**
1 debo	debía	deberé
2 debes	debías	deberás
3 debe	debía	deberá
1 debemos	debíamos	deberemos
2 debéis	debíais	deberéis
3 deben	debían	deberán

PASSE SIMPLE	**PASSE COMPOSE**	**PLUS-QUE-PARFAIT**
1 debí	he debido	había debido
2 debiste	has debido	habías debido
3 debió	ha debido	había debido
1 debimos	hemos debido	habíamos debido
2 debisteis	habéis debido	habíais debido
3 debieron	han debido	habían debido

PASSE ANTERIEUR

hube debido *etc*.

FUTUR ANTERIEUR

habré debido *etc*.

CONDITIONNEL

PRESENT	**PASSE**	*IMPERATIF*
1 debería	habría debido	
2 deberías	habrías debido	(tú) debe
3 debería	habría debido	(Vd) deba
1 deberíamos	habríamos debido	(nosotros) debamos
2 deberíais	habríais debido	(vosotros) debed
3 deberían	habrían debido	(Vds) deban

SUBJONCTIF

PRESENT	**IMPARFAIT**	**PLUS-QUE-PARFAIT**
1 deba	deb-iera/iese	hubiera debido
2 debas	deb-ieras/ieses	hubieras debido
3 deba	deb-iera/iese	hubiera debido
1 debamos	deb-iéramos/iésemos	hubiéramos debido
2 debáis	deb-ierais/ieseis	hubierais debido
3 deban	deb-ieran/iesen	hubieran debido

PAS. COMP. haya debido *etc*.

INFINITIF	*PARTICIPE*
PRESENT	**PRESENT**
deber	debiendo
PASSE	**PASSE**
haber debido	debido

66 DECIDIR
décider

PRESENT	IMPARFAIT	FUTUR
1 decido	decidía	decidiré
2 decides	decidías	decidirás
3 decide	decidía	decidirá
1 decidimos	decidíamos	decidiremos
2 decidís	decidíais	decidiréis
3 deciden	decidían	decidirán

PASSE SIMPLE	PASSE COMPOSE	PLUS-QUE-PARFAIT
1 decidí	he decidido	había decidido
2 decidiste	has decidido	habías decidido
3 decidió	ha decidido	había decidido
1 decidimos	hemos decidido	habíamos decidido
2 decidisteis	habéis decidido	habíais decidido
3 decidieron	han decidido	habían decidido

PASSE ANTERIEUR	FUTUR ANTERIEUR
hube decidido *etc.*	habré decidido *etc.*

CONDITIONNEL

PRESENT	PASSE	IMPERATIF
1 decidiría	habría decidido	
2 decidirías	habrías decidido	(tú) decide
3 decidiría	habría decidido	(Vd) decida
1 decidiríamos	habríamos decidido	(nosotros) decidamos
2 decidiríais	habríais decidido	(vosotros) decidid
3 decidirían	habrían decidido	(Vds) decidan

SUBJONCTIF

PRESENT	IMPARFAIT	PLUS-QUE-PARFAIT
1 decida	decid-iera/iese	hubiera decidido
2 decidas	decid-ieras/ieses	hubieras decidido
3 decida	decid-iera/iese	hubiera decidido
1 decidamos	decid-iéramos/iésemos	hubiéramos decidido
2 decidáis	decid-ierais/ieseis	hubierais decidido
3 decidan	decid-ieran/iesen	hubieran decidido

PAS. COMP. haya decidido *etc.*

INFINITIF	PARTICIPE
PRESENT	**PRESENT**
decidir	decidiendo
PASSE	**PASSE**
haber decidido	decidido

PRESENT	**IMPARFAIT**	**FUTUR**
1 digo	decía	diré
2 dices	decías	dirás
3 dice	decía	dirá
1 decimos	decíamos	diremos
2 decís	decíais	diréis
3 dicen	decían	dirán

PASSE SIMPLE	**PASSE COMPOSE**	**PLUS-QUE-PARFAIT**
1 dije	he dicho	había dicho
2 dijiste	has dicho	habías dicho
3 dijo	ha dicho	había dicho
1 dijimos	hemos dicho	habíamos dicho
2 dijisteis	habéis dicho	habíais dicho
3 dijeron	han dicho	habían dicho

PASSE ANTERIEUR

hube dicho *etc.*

FUTUR ANTERIEUR

habré dicho *etc.*

CONDITIONNEL

PRESENT	**PASSE**	*IMPERATIF*
1 diría	habría dicho	
2 dirías	habrías dicho	(tú) di
3 diría	habría dicho	(Vd) diga
1 diríamos	habríamos dicho	(nosotros) digamos
2 diríais	habríais dicho	(vosotros) decid
3 dirían	habrían dicho	(Vds) digan

SUBJONCTIF

PRESENT	**IMPARFAIT**	**PLUS-QUE-PARFAIT**
1 diga	dij-era/ese	hubiera dicho
2 digas	dij-eras/eses	hubieras dicho
3 diga	dij-era/ese	hubiera dicho
1 digamos	dij-éramos/ésemos	hubiéramos dicho
2 digáis	dij-erais/eseis	hubierais dicho
3 digan	dij-eran/esen	hubieran dicho

PAS. COMP. haya dicho *etc.*

INFINITIF	*PARTICIPE*
PRESENT	**PRESENT**
decir	diciendo
PASSE	**PASSE**
haber dicho	dicho

PRESENT	IMPARFAIT	FUTUR
1 degüello	degollaba	degollaré
2 degüellas	degollabas	degollarás
3 degüella	degollaba	degollará
1 degollamos	degollábamos	degollaremos
2 degolláis	degollabais	degollaréis
3 degüellan	degollaban	degollarán

PASSE SIMPLE	PASSE COMPOSE	PLUS-QUE-PARFAIT
1 degollé	he degollado	había degollado
2 degollaste	has degollado	habías degollado
3 degolló	ha degollado	había degollado
1 degollamos	hemos degollado	habíamos degollado
2 degollasteis	habéis degollado	habíais degollado
3 degollaron	han degollado	habían degollado

PASSE ANTERIEUR

hube degollado *etc.*

FUTUR ANTERIEUR

habré degollado *etc.*

CONDITIONNEL

PRESENT	PASSE	IMPERATIF
1 degollaría	habría degollado	
2 degollarías	habrías degollado	(tú) degüella
3 degollaría	habría degollado	(Vd) degüelle
1 degollaríamos	habríamos degollado	(nosotros) degollemos
2 degollaríais	habríais degollado	(vosotros) degollad
3 degollarían	habrían degollado	(Vds) degüellen

SUBJONCTIF

PRESENT	IMPARFAIT	PLUS-QUE-PARFAIT
1 degüelle	degoll-ara/ase	hubiera degollado
2 degüelles	degoll-aras/ases	hubieras degollado
3 degüelle	degoll-ara/ase	hubiera degollado
1 degollemos	degoll-áramos/ásemos	hubiéramos degollado
2 degolléis	degoll-arais/aseis	hubierais degollado
3 degüellen	degoll-aran/asen	hubieran degollado

PAS. COMP. haya degollado *etc.*

INFINITIF	PARTICIPE
PRESENT	**PRESENT**
degollar	degollando
PASSE	**PASSE**
haber degollado	degollado

PRESENT	**IMPARFAIT**	**FUTUR**
1 dejo	dejaba	dejaré
2 dejas	dejabas	dejarás
3 deja	dejaba	dejará
1 dejamos	dejábamos	dejaremos
2 dejáis	dejabais	dejaréis
3 dejan	dejaban	dejarán

PASSE SIMPLE	**PASSE COMPOSE**	**PLUS-QUE-PARFAIT**
1 dejé	he dejado	había dejado
2 dejaste	has dejado	habías dejado
3 dejó	ha dejado	había dejado
1 dejamos	hemos dejado	habíamos dejado
2 dejasteis	habéis dejado	habíais dejado
3 dejaron	han dejado	habían dejado

PASSE ANTERIEUR

hube dejado *etc.*

FUTUR ANTERIEUR

habré dejado *etc.*

CONDITIONNEL

PRESENT	**PASSE**	*IMPERATIF*
1 dejaría	habría dejado	
2 dejarías	habrías dejado	(tú) deja
3 dejaría	habría dejado	(Vd) deje
1 dejaríamos	habríamos dejado	(nosotros) dejemos
2 dejaríais	habríais dejado	(vosotros) dejad
3 dejarían	habrían dejado	(Vds) dejen

SUBJONCTIF

PRESENT	**IMPARFAIT**	**PLUS-QUE-PARFAIT**
1 deje	dej-ara/ase	hubiera dejado
2 dejes	dej-aras/ases	hubieras dejado
3 deje	dej-ara/ase	hubiera dejado
1 dejemos	dej-áramos/ásemos	hubiéramos dejado
2 dejéis	dej-arais/aseis	hubierais dejado
3 dejen	dej-aran/asen	hubieran dejado

PAS. COMP. haya dejado *etc.*

INFINITIF	*PARTICIPE*
PRESENT	**PRESENT**
dejar	dejando
PASSE	**PASSE**
haber dejado	dejado

70 DELINQUIR
commettre un délit

PRESENT	IMPARFAIT	FUTUR
1 delinco	delinquía	delinquiré
2 delinques	delinquías	delinquirás
3 delinque	delinquía	delinquirá
1 delinquimos	delinquíamos	delinquiremos
2 delinquís	delinquíais	delinquiréis
3 delinquen	delinquían	delinquirán

PASSE SIMPLE	PASSE COMPOSE	PLUS-QUE-PARFAIT
1 delinquí	he delinquido	había delinquido
2 delinquiste	has delinquido	habías delinquido
3 delinquió	ha delinquido	había delinquido
1 delinquimos	hemos delinquido	habíamos delinquido
2 delinquisteis	habéis delinquido	habíais delinquido
3 delinquieron	han delinquido	habían delinquido

PASSE ANTERIEUR

hube delinquido *etc.*

FUTUR ANTERIEUR

habré delinquido *etc.*

CONDITIONNEL

PRESENT	PASSE	IMPERATIF
1 delinquiría	habría delinquido	
2 delinquirías	habrías delinquido	(tú) delinque
3 delinquiría	habría delinquido	(Vd) delinca
1 delinquiríamos	habríamos delinquido	(nosotros) delincamos
2 delinquiríais	habríais delinquido	(vosotros) delinquid
3 delinquirían	habrían delinquido	(Vds) delincan

SUBJONCTIF

PRESENT	IMPARFAIT	PLUS-QUE-PARFAIT
1 delinca	delinqu-iera/iese	hubiera delinquido
2 delincas	delinqu-ieras/ieses	hubieras delinquido
3 delinca	delinqu-iera/iese	hubiera delinquido
1 delincamos	delinqu-iéramos/iésemos	hubiéramos delinquido
2 delincáis	delinqu-ierais/ieseis	hubierais delinquido
3 delincan	delinqu-ieran/iesen	hubieran delinquido

PAS. COMP. haya delinquido *etc.*

INFINITIF	PARTICIPE
PRESENT	**PRESENT**
delinquir	delinquiendo
PASSE	**PASSE**
haber delinquido	delinquido

PRESENT

1 desciendo
2 desciendes
3 desciende
1 descendemos
2 descendéis
3 descienden

IMPARFAIT

descendía
descendías
descendía
descendíamos
descendíais
descendían

FUTUR

descenderé
descenderás
descenderá
descenderemos
descenderéis
descenderán

PASSE SIMPLE

1 descendí
2 descendiste
3 descendió
1 descendimos
2 descendisteis
3 descendieron

PASSE COMPOSE

he descendido
has descendido
ha descendido
hemos descendido
habéis descendido
han descendido

PLUS-QUE-PARFAIT

había descendido
habías descendido
había descendido
habíamos descendido
habíais descendido
habían descendido

PASSE ANTERIEUR

hube descendido *etc.*

FUTUR ANTERIEUR

habré descendido *etc.*

CONDITIONNEL
PRESENT

1 descendería
2 descenderías
3 descendería
1 descenderíamos
2 descenderíais
3 descenderían

PASSE

habría descendido
habrías descendido
habría descendido
habríamos descendido
habríais descendido
habrían descendido

IMPERATIF

(tú) desciende
(Vd) descienda
(nosotros) descendamos
(vosotros) descended
(Vds) desciendan

SUBJONCTIF
PRESENT

1 descienda
2 desciendas
3 descienda
1 descendamos
2 descendáis
3 desciendan

IMPARFAIT

descend-iera/iese
descend-ieras/ieses
descend-iera/iese
descend-iéramos/iésemos
descend-ierais/ieseis
descend-ieran/iesen

PLUS-QUE-PARFAIT

hubiera descendido
hubieras descendido
hubiera descendido
hubiéramos descendido
hubierais descendido
hubieran descendido

PAS. COMP. haya descendido *etc.*

INFINITIF
PRESENT

descender

PARTICIPE
PRESENT

descendiendo

PASSE

haber descendido

PASSE

descendido

PRESENT	**IMPARFAIT**	**FUTUR**
1 descubro	descubría	descubriré
2 descubres	descubrías	descubrirás
3 descubre	descubría	descubrirá
1 descubrimos	descubríamos	descubriremos
2 descubrís	descubríais	descubriréis
3 descubren	descubrían	descubrirán

PASSE SIMPLE	**PASSE COMPOSE**	**PLUS-QUE-PARFAIT**
1 descubrí	he descubierto	había descubierto
2 descubriste	has descubierto	habías descubierto
3 descubrió	ha descubierto	había descubierto
1 descubrimos	hemos descubierto	habíamos descubierto
2 descubristeis	habéis descubierto	habíais descubierto
3 descubrieron	han descubierto	habían descubierto

PASSE ANTERIEUR

hube descubierto *etc*.

FUTUR ANTERIEUR

habré descubierto *etc*.

CONDITIONNEL		*IMPERATIF*
PRESENT	**PASSE**	
1 descubriría	habría descubierto	
2 descubrirías	habrías descubierto	(tú) descubre
3 descubriría	habría descubierto	(Vd) descubra
1 descubriríamos	habríamos descubierto	(nosotros) descubramos
2 descubriríais	habríais descubierto	(vosotros) descubrid
3 descubrirían	habrían descubierto	(Vds) descubran

SUBJONCTIF		
PRESENT	**IMPARFAIT**	**PLUS-QUE-PARFAIT**
1 descubra	descubr-iera/iese	hubiera descubierto
2 descubras	descubr-ieras/ieses	hubieras descubierto
3 descubra	descubr-iera/iese	hubiera descubierto
1 descubramos	descubr-iéramos/iésemos	hubiéramos descubierto
2 descubráis	descubr-ierais/ieseis	hubierais descubierto
3 descubran	descubr-ieran/iesen	hubieran descubierto

PAS. COMP. haya descubierto *etc*.

INFINITIF	*PARTICIPE*
PRESENT	**PRESENT**
descubrir	descubriendo
PASSE	**PASSE**
haber descubierto	descubierto

PRESENT
1 me despierto
2 te despiertas
3 se despierta
1 nos despertamos
2 os despertáis
3 se despiertan

IMPARFAIT
me despertaba
te despertabas
se despertaba
nos despertábamos
os despertabais
se despertaban

FUTUR
me despertaré
te despertarás
se despertará
nos despertaremos
os despertaréis
se despertarán

PASSE SIMPLE
1 me desperté
2 te despertaste
3 se despertó
1 nos despertamos
2 os despertasteis
3 se despertaron

PASSE COMPOSE
me he despertado
te has despertado
se ha despertado
nos hemos despertado
os habéis despertado
se han despertado

PLUS-QUE-PARFAIT
me había despertado
te habías despertado
se había despertado
nos habíamos despertado
os habíais despertado
se habían despertado

PASSE ANTERIEUR
me hube despertado *etc.*

FUTUR ANTERIEUR
me habré despertado *etc.*

CONDITIONNEL
PRESENT
1 me despertaría
2 te despertarías
3 se despertaría
1 nos despertaríamos
2 os despertaríais
3 se despertarían

PASSE
me habría despertado
te habrías despertado
se habría despertado
nos habríamos despertado
os habríais despertado
se habrían despertado

IMPERATIF

(tú) despiértate
(Vd) despiértese
(nosotros) despertémonos
(vosotros) despertaos
(Vds) despiértense

SUBJONCTIF
PRESENT
1 me despierte
2 te despiertes
3 se despierte
1 nos despertemos
2 os despertéis
3 se despierten

IMPARFAIT
me despert-ara/ase
te despert-aras/ases
se despert-ara/ase
nos despert-áramos/ásemos
os despert-arais/aseis
se despert-aran/asen

PLUS-QUE-PARFAIT
me hubiera despertado
te hubieras despertado
se hubiera despertado
nos hubiéramos despertado
os hubierais despertado
se hubieran despertado

PAS. COMP. me haya despertado *etc.*

INFINITIF
PRESENT
despertarse

PASSE
haberse despertado

PARTICIPE
PRESENT
despertándose

PASSE
despertado

74 DESTRUIR
détruire

PRESENT	IMPARFAIT	FUTUR
1 destruyo	destruía	destruiré
2 destruyes	destruías	destruirás
3 destruye	destruía	destruirá
1 destruimos	destruíamos	destruiremos
2 destruís	destruíais	destruiréis
3 destruyen	destruían	destruirán

PASSE SIMPLE	PASSE COMPOSE	PLUS-QUE-PARFAIT
1 destruí	he destruido	había destruido
2 destruiste	has destruido	habías destruido
3 destruyó	ha destruido	había destruido
1 destruimos	hemos destruido	habíamos destruido
2 destruisteis	habéis destruido	habíais destruido
3 destruyeron	han destruido	habían destruido

PASSE ANTERIEUR

hube destruido *etc.*

FUTUR ANTERIEUR

habré destruido *etc.*

CONDITIONNEL

PRESENT	PASSE	*IMPERATIF*
1 destruiría	habría destruido	
2 destruirías	habrías destruido	(tú) destruye
3 destruiría	habría destruido	(Vd) destruya
1 destruiríamos	habríamos destruido	(nosotros) destruyamos
2 destruiríais	habríais destruido	(vosotros) destruid
3 destruirían	habrían destruido	(Vds) destruyan

SUBJONCTIF

PRESENT	IMPARFAIT	PLUS-QUE-PARFAIT
1 destruya	destru-yera/yese	hubiera destruido
2 destruyas	destru-yeras/yeses	hubieras destruido
3 destruya	destru-yera/yese	hubiera destruido
1 destruyamos	destru-yéramos/yésemos	hubiéramos destruido
2 destruyáis	destru-yerais/yeseis	hubierais destruido
3 destruyan	destru-yeran/yesen	hubieran destruido

PAS. COMP. haya destruido *etc.*

INFINITIF	*PARTICIPE*
PRESENT	**PRESENT**
destruir	destruyendo
PASSE	**PASSE**
haber destruido	destruido

PRESENT	**IMPARFAIT**	**FUTUR**
1 digiero	digería	digeriré
2 digieres	digerías	digerirás
3 digiere	digería	digerirá
1 digerimos	digeríamos	digeriremos
2 digerís	digeríais	digeriréis
3 digieren	digerían	digerirán

PASSE SIMPLE	**PASSE COMPOSE**	**PLUS-QUE-PARFAIT**
1 digerí	he digerido	había digerido
2 digeriste	has digerido	habías digerido
3 digirió	ha digerido	había digerido
1 digerimos	hemos digerido	habíamos digerido
2 digeristeis	habéis digerido	habíais digerido
3 digirieron	han digerido	habían digerido

PASSE ANTERIEUR	**FUTUR ANTERIEUR**
hube digerido *etc.*	habré digerido *etc.*

CONDITIONNEL		*IMPERATIF*
PRESENT	**PASSE**	
1 digeriría	habría digerido	
2 digerirías	habrías digerido	(tú) digiere
3 digeriría	habría digerido	(Vd) digiera
1 digeriríamos	habríamos digerido	(nosotros) digiramos
2 digeriríais	habríais digerido	(vosotros) digerid
3 digerirían	habrían digerido	(Vds) digieran

SUBJONCTIF

PRESENT	**IMPARFAIT**	**PLUS-QUE-PARFAIT**
1 digiera	digir-iera/iese	hubiera digerido
2 digieras	digir-ieras/ieses	hubieras digerido
3 digiera	digir-iera/iese	hubiera digerido
1 digiramos	digir-iéramos/iésemos	hubiéramos digerido
2 digiráis	digir-ierais/ieseis	hubierais digerido
3 digieran	digir-ieran/iesen	hubieran digerido

PAS. COMP.   haya digerido *etc.*

INFINITIF	*PARTICIPE*
PRESENT	**PRESENT**
digerir	digiriendo
PASSE	**PASSE**
haber digerido	digerido

76 DIRIGIR
diriger

PRESENT	IMPARFAIT	FUTUR
1 dirijo	dirigía	dirigiré
2 diriges	dirigías	dirigirás
3 dirige	dirigía	dirigirá
1 dirigimos	dirigíamos	dirigiremos
2 dirigís	dirigíais	dirigiréis
3 dirigen	dirigían	dirigirán

PASSE SIMPLE	PASSE COMPOSE	PLUS-QUE-PARFAIT
1 dirigí	he dirigido	había dirigido
2 dirigiste	has dirigido	habías dirigido
3 dirigió	ha dirigido	había dirigido
1 dirigimos	hemos dirigido	habíamos dirigido
2 dirigisteis	habéis dirigido	habíais dirigido
3 dirigieron	han dirigido	habían dirigido

PASSE ANTERIEUR	FUTUR ANTERIEUR
hube dirigido *etc*.	habré dirigido *etc*.

CONDITIONNEL

PRESENT	PASSE	*IMPERATIF*
1 dirigiría	habría dirigido	
2 dirigirías	habrías dirigido	(tú) dirige
3 dirigiría	habría dirigido	(Vd) dirija
1 dirigiríamos	habríamos dirigido	(nosotros) dirijamos
2 dirigiríais	habríais dirigido	(vosotros) dirigid
3 dirigirían	habrían dirigido	(Vds) dirijan

SUBJONCTIF

PRESENT	IMPARFAIT	PLUS-QUE-PARFAIT
1 dirija	dirig-iera/iese	hubiera dirigido
2 dirijas	dirig-ieras/ieses	hubieras dirigido
3 dirija	dirig-iera/iese	hubiera dirigido
1 dirijamos	dirig-iéramos/iésemos	hubiéramos dirigido
2 dirijáis	dirig-ierais/ieseis	hubierais dirigido
3 dirijan	dirig-ieran/iesen	hubieran dirigido

PAS. COMP. haya dirigido *etc*.

INFINITIF	*PARTICIPE*
PRESENT	PRESENT
dirigir	dirigiendo
PASSE	PASSE
haber dirigido	dirigido

PRESENT	**IMPARFAIT**	**FUTUR**
1 discierno	discernía	discerniré
2 disciernes	discernías	discernirás
3 discierne	discernía	discernirá
1 discernimos	discerníamos	discerniremos
2 discernís	discerníais	discerniréis
3 disciernen	discernían	discernirán

PASSE SIMPLE	**PASSE COMPOSE**	**PLUS-QUE-PARFAIT**
1 discerní	he discernido	había discernido
2 discerniste	has discernido	habías discernido
3 discirnió	ha discernido	había discernido
1 discernimos	hemos discernido	habíamos discernido
2 discernisteis	habéis discernido	habíais discernido
3 discirnieron	han discernido	habían discernido

PASSE ANTERIEUR

hube discernido *etc.*

FUTUR ANTERIEUR

habré discernido *etc.*

CONDITIONNEL		*IMPERATIF*
PRESENT	**PASSE**	
1 discerniría	habría discernido	
2 discernirías	habrías discernido	(tú) discierne
3 discerniría	habría discernido	(Vd) discierna
1 discerniríamos	habríamos discernido	(nosotros) discirnamos
2 discerniríais	habríais discernido	(vosotros) discernid
3 discernirían	habrían discernido	(Vds) disciernan

SUBJONCTIF		
PRESENT	**IMPARFAIT**	**PLUS-QUE-PARFAIT**
1 discierna	discirn-iera/iese	hubiera discernido
2 disciernas	discirn-ieras/ieses	hubieras discernido
3 discierna	discirn-iera/iese	hubiera discernido
1 discirnamos	discirn-iéramos/iésemos	hubiéramos discernido
2 discirnáis	discirn-ierais/ieseis	hubierais discernido
3 disciernan	discirn-ieran/iesen	hubieran discernido

PAS. COMP. haya discernido *etc.*

INFINITIF	*PARTICIPE*
PRESENT	**PRESENT**
discernir	discirniendo
PASSE	**PASSE**
haber discernido	discernido

78 DISTINGUIR
distinguer

PRESENT	IMPARFAIT	FUTUR
1 distingo	distinguía	distinguiré
2 distingues	distinguías	distinguirás
3 distingue	distinguía	distinguirá
1 distinguimos	distinguíamos	distinguiremos
2 distinguís	distinguíais	distinguiréis
3 distinguen	distinguían	distinguirán

PASSE SIMPLE	PASSE COMPOSE	PLUS-QUE-PARFAIT
1 distinguí	he distinguido	había distinguido
2 distinguiste	has distinguido	habías distinguido
3 distinguió	ha distinguido	había distinguido
1 distinguimos	hemos distinguido	habíamos distinguido
2 distinguisteis	habéis distinguido	habíais distinguido
3 distinguieron	han distinguido	habían distinguido

PASSE ANTERIEUR	FUTUR ANTERIEUR
hube distinguido *etc*.	habré distinguido *etc*.

CONDITIONNEL		*IMPERATIF*
PRESENT	**PASSE**	
1 distinguiría	habría distinguido	
2 distinguirías	habrías distinguido	(tú) distingue
3 distinguiría	habría distinguido	(Vd) distinga
1 distinguiríamos	habríamos distinguido	(nosotros) distingamos
2 distinguiríais	habríais distinguido	(vosotros) distinguid
3 distinguirían	habrían distinguido	(Vds) distingan

SUBJONCTIF		
PRESENT	**IMPARFAIT**	**PLUS-QUE-PARFAIT**
1 distinga	distingu-iera/iese	hubiera distinguido
2 distingas	distingu-ieras/ieses	hubieras distinguido
3 distinga	distingu-iera/iese	hubiera distinguido
1 distingamos	distingu-iéramos/iésemos	hubiéramos distinguido
2 distingáis	distingu-ierais/ieseis	hubierais distinguido
3 distingan	distingu-ieran/iesen	hubieran distinguido

PAS. COMP. haya distinguido *etc*.

INFINITIF	*PARTICIPE*
PRESENT	**PRESENT**
distinguir	distinguiendo
PASSE	**PASSE**
haber distinguido	distinguido

PRESENT

1 me divierto
2 te diviertes
3 se divierte
1 nos divertimos
2 os divertís
3 se divierten

IMPARFAIT

me divertía
te divertías
se divertía
nos divertíamos
os divertíais
se divertían

FUTUR

me divertiré
te divertirás
se divertirá
nos divertiremos
os divertiréis
se divertirán

PASSE SIMPLE

1 me divertí
2 te divertiste
3 se divirtió
1 nos divertimos
2 os divertisteis
3 se divirtieron

PASSE COMPOSE

me he divertido
te has divertido
se ha divertido
nos hemos divertido
os habéis divertido
se han divertido

PLUS-QUE-PARFAIT

me había divertido
te habías divertido
se había divertido
nos habíamos divertido
os habíais divertido
se habían divertido

PASSE ANTERIEUR

me hube divertido *etc.*

FUTUR ANTERIEUR

me habré divertido *etc.*

CONDITIONNEL
PRESENT

1 me divertiría
2 te divertirías
3 se divertiría
1 nos divertiríamos
2 os divertiríais
3 se divertirían

PASSE

me habría divertido
te habrías divertido
se habría divertido
nos habríamos divertido
os habríais divertido
se habrían divertido

IMPERATIF

(tú) diviértete
(Vd) diviértase
(nosotros) divirtámonos
(vosotros) divertíos
(Vds) diviértanse

SUBJONCTIF
PRESENT

1 me divierta
2 te diviertas
3 se divierta
1 nos divirtamos
2 os divirtáis
3 se diviertan

IMPARFAIT

me divirt-iera/iese
te divirt-ieras/ieses
se divirt-iera/iese
nos divirt-iéramos/iésemos
os divirt-ierais/ieseis
se divirt-ieran/iesen

PLUS-QUE-PARFAIT

me hubiera divertido
te hubieras divertido
se hubiera divertido
nos hubiéramos divertido
os hubierais divertido
se hubieran divertido

PAS. COMP. me haya divertido *etc.*

INFINITIF
PRESENT

divertirse

PARTICIPE
PRESENT

divirtiéndose

PASSE

haberse divertido

PASSE

divertido

PRESENT	IMPARFAIT	FUTUR
1 duelo	dolía	doleré
2 dueles	dolías	dolerás
3 duele	dolía	dolerá
1 dolemos	dolíamos	doleremos
2 doléis	dolíais	doleréis
3 duelen	dolían	dolerán

PASSE SIMPLE	PASSE COMPOSE	PLUS-QUE-PARFAIT
1 dolí	he dolido	había dolido
2 doliste	has dolido	habías dolido
3 dolió	ha dolido	había dolido
1 dolimos	hemos dolido	habíamos dolido
2 dolisteis	habéis dolido	habíais dolido
3 dolieron	han dolido	habían dolido

PASSE ANTERIEUR

hube dolido *etc.*

FUTUR ANTERIEUR

habré dolido *etc.*

CONDITIONNEL

PRESENT	PASSE	IMPERATIF
1 dolería	habría dolido	
2 dolerías	habrías dolido	
3 dolería	habría dolido	(tú) duele
1 doleríamos	habríamos dolido	(Vd) duela
2 doleríais	habríais dolido	(nosotros) dolamos
3 dolerían	habrían dolido	(vosotros) doled
		(Vds) duelan

SUBJONCTIF

PRESENT	IMPARFAIT	PLUS-QUE-PARFAIT
1 duela	dol-iera/iese	hubiera dolido
2 duelas	dol-ieras/ieses	hubieras dolido
3 duela	dol-iera/iese	hubiera dolido
1 dolamos	dol-iéramos/iésemos	hubiéramos dolido
2 doláis	dol-ierais/ieseis	hubierais dolido
3 duelan	dol-ieran/iesen	hubieran dolido

PAS. COMP. haya dolido *etc.*

INFINITIF	*PARTICIPE*	*N.B.*
PRESENT	**PRESENT**	Dans le sens de 'faire
doler	doliendo	mal', seule la troisième
		personne est utilisée.
PASSE	**PASSE**	
haber dolido	dolido	

PRESENT	**IMPARFAIT**	**FUTUR**
1 duermo	dormía	dormiré
2 duermes	dormías	dormirás
3 duerme	dormía	dormirá
1 dormimos	dormíamos	dormiremos
2 dormís	dormíais	dormiréis
3 duermen	dormían	dormirán

PASSE SIMPLE	**PASSE COMPOSE**	**PLUS-QUE-PARFAIT**
1 dormí	he dormido	había dormido
2 dormiste	has dormido	habías dormido
3 durmió	ha dormido	había dormido
1 dormimos	hemos dormido	habíamos dormido
2 dormisteis	habéis dormido	habíais dormido
3 durmieron	han dormido	habían dormido

PASSE ANTERIEUR	**FUTUR ANTERIEUR**
hube dormido *etc.*	habré dormido *etc.*

CONDITIONNEL		*IMPERATIF*
PRESENT	**PASSE**	
1 dormiría	habría dormido	
2 dormirías	habrías dormido	(tú) duerme
3 dormiría	habría dormido	(Vd) duerma
1 dormiríamos	habríamos dormido	(nosotros) durmamos
2 dormiríais	habríais dormido	(vosotros) dormid
3 dormirían	habrían dormido	(Vds) duerman

SUBJONCTIF		
PRESENT	**IMPARFAIT**	**PLUS-QUE-PARFAIT**
1 duerma	durm-iera/iese	hubiera dormido
2 duermas	durm-ieras/ieses	hubieras dormido
3 duerma	durm-iera/iese	hubiera dormido
1 durmamos	durm-iéramos/iésemos	hubiéramos dormido
2 durmáis	durm-ierais/ieseis	hubierais dormido
3 duerman	durm-ieran/iesen	hubieran dormido

PAS. COMP. haya dormido *etc.*

INFINITIF	*PARTICIPE*
PRESENT	**PRESENT**
dormir	durmiendo
PASSE	**PASSE**
haber dormido	dormido

EDUCAR
élever, éduquer

PRESENT	**IMPARFAIT**	**FUTUR**
1 educo	educaba	educaré
2 educas	educabas	educarás
3 educa	educaba	educará
1 educamos	educábamos	educaremos
2 educáis	educabais	educaréis
3 educan	educaban	educarán

PASSE SIMPLE	**PASSE COMPOSE**	**PLUS-QUE-PARFAIT**
1 eduqué	he educado	había educado
2 educaste	has educado	habías educado
3 educó	ha educado	había educado
1 educamos	hemos educado	habíamos educado
2 educasteis	habéis educado	habíais educado
3 educaron	han educado	habían educado

PASSE ANTERIEUR

hube educado *etc.*

FUTUR ANTERIEUR

habré educado *etc.*

CONDITIONNEL		*IMPERATIF*
PRESENT	**PASSE**	
1 educaría	habría educado	
2 educarías	habrías educado	(tú) educa
3 educaría	habría educado	(Vd) eduque
1 educaríamos	habríamos educado	(nosotros) eduquemos
2 educaríais	habríais educado	(vosotros) educad
3 educarían	habrían educado	(Vds) eduquen

SUBJONCTIF		
PRESENT	**IMPARFAIT**	**PLUS-QUE-PARFAIT**
1 eduque	educ-ara/ase	hubiera educado
2 eduques	educ-aras/ases	hubieras educado
3 eduque	educ-ara/ase	hubiera educado
1 eduquemos	educ-áramos/ásemos	hubiéramos educado
2 eduquéis	educ-arais/aseis	hubierais educado
3 eduquen	educ-aran/asen	hubieran educado

PAS. COMP. haya educado *etc.*

INFINITIF	*PARTICIPE*
PRESENT	**PRESENT**
educar	educando
PASSE	**PASSE**
haber educado	educado

PRESENT	**IMPARFAIT**	**FUTUR**
1 elijo	elegía	elegiré
2 eliges	elegías	elegirás
3 elige	elegía	elegirá
1 elegimos	elegíamos	elegiremos
2 elegís	elegíais	elegiréis
3 eligen	elegían	elegirán

PASSE SIMPLE	**PASSE COMPOSE**	**PLUS-QUE-PARFAIT**
1 elegí	he elegido	había elegido
2 elegiste	has elegido	habías elegido
3 eligió	ha elegido	había elegido
1 elegimos	hemos elegido	habíamos elegido
2 elegisteis	habéis elegido	habíais elegido
3 eligieron	han elegido	habían elegido

PASSE ANTERIEUR

hube elegido *etc.*

FUTUR ANTERIEUR

habré elegido *etc.*

CONDITIONNEL

PRESENT	**PASSE**	*IMPERATIF*
1 elegiría	habría elegido	
2 elegirías	habrías elegido	(tú) elige
3 elegiría	habría elegido	(Vd) elija
1 elegiríamos	habríamos elegido	(nosotros) elijamos
2 elegiríais	habríais elegido	(vosotros) elegid
3 elegirían	habrían elegido	(Vds) elijan

SUBJONCTIF

PRESENT	**IMPARFAIT**	**PLUS-QUE-PARFAIT**
1 elija	elig-iera/iese	hubiera elegido
2 elijas	elig-ieras/ieses	hubieras elegido
3 elija	elig-iera/iese	hubiera elegido
1 elijamos	elig-iéramos/iésemos	hubiéramos elegido
2 elijáis	elig-ierais/ieseis	hubierais elegido
3 elijan	elig-ieran/iesen	hubieran elegido

PAS. COMP. haya elegido *etc.*

INFINITIF	*PARTICIPE*
PRESENT	**PRESENT**
elegir	eligiendo
PASSE	**PASSE**
haber elegido	elegido

84 EMBARCAR
embarquer

PRESENT	IMPARFAIT	FUTUR
1 embarco	embarcaba	embarcaré
2 embarcas	embarcabas	embarcarás
3 embarca	embarcaba	embarcará
1 embarcamos	embarcábamos	embarcaremos
2 embarcáis	embarcabais	embarcaréis
3 embarcan	embarcaban	embarcarán

PASSE SIMPLE	PASSE COMPOSE	PLUS-QUE-PARFAIT
1 embarqué	he embarcado	había embarcado
2 embarcaste	has embarcado	habías embarcado
3 embarcó	ha embarcado	había embarcado
1 embarcamos	hemos embarcado	habíamos embarcado
2 embarcasteis	habéis embarcado	habíais embarcado
3 embarcaron	han embarcado	habían embarcado

PASSE ANTERIEUR

hube embarcado *etc.*

FUTUR ANTERIEUR

habré embarcado *etc.*

CONDITIONNEL

PRESENT	PASSE	IMPERATIF
1 embarcaría	habría embarcado	
2 embarcarías	habrías embarcado	(tú) embarca
3 embarcaría	habría embarcado	(Vd) embarque
1 embarcaríamos	habríamos embarcado	(nosotros) embarquemos
2 embarcaríais	habríais embarcado	(vosotros) embarcad
3 embarcarían	habrían embarcado	(Vds) embarquen

SUBJONCTIF

PRESENT	IMPARFAIT	PLUS-QUE-PARFAIT
1 embarque	embarc-ara/ase	hubiera embarcado
2 embarques	embarc-aras/ases	hubieras embarcado
3 embarque	embarc-ara/ase	hubiera embarcado
1 embarquemos	embarc-áramos/ásemos	hubiéramos embarcado
2 embarquéis	embarc-arais/aseis	hubierais embarcado
3 embarquen	embarc-aran/asen	hubieran embarcado

PAS. COMP. haya embarcado *etc.*

INFINITIF	PARTICIPE
PRESENT	**PRESENT**
embarcar	embarcando
PASSE	**PASSE**
haber embarcado	embarcado

PRESENT
1 empiezo
2 empiezas
3 empieza
1 empezamos
2 empezáis
3 empiezan

IMPARFAIT
empezaba
empezabas
empezaba
empezábamos
empezabais
empezaban

FUTUR
empezaré
empezarás
empezará
empezaremos
empezaréis
empezarán

PASSE SIMPLE
1 empecé
2 empezaste
3 empezó
1 empezamos
2 empezasteis
3 empezaron

PASSE COMPOSE
he empezado
has empezado
ha empezado
hemos empezado
habéis empezado
han empezado

PLUS-QUE-PARFAIT
había empezado
habías empezado
había empezado
habíamos empezado
habíais empezado
habían empezado

PASSE ANTERIEUR
hube empezado *etc*.

FUTUR ANTERIEUR
habré empezado *etc*.

CONDITIONNEL
PRESENT
1 empezaría
2 empezarías
3 empezaría
1 empezaríamos
2 empezaríais
3 empezarían

PASSE
habría empezado
habrías empezado
habría empezado
habríamos empezado
habríais empezado
habrían empezado

IMPERATIF

(tú) empieza
(Vd) empiece
(nosotros) empecemos
(vosotros) empezad
(Vds) empiecen

SUBJONCTIF
PRESENT
1 empiece
2 empieces
3 empiece
1 empecemos
2 empecéis
3 empiecen

IMPARFAIT
empez-ara/ase
empez-aras/ases
empez-ara/ase
empez-áramos/ásemos
empez-arais/aseis
empez-aran/asen

PLUS-QUE-PARFAIT
hubiera empezado
hubieras empezado
hubiera empezado
hubiéramos empezado
hubierais empezado
hubieran empezado

PAS. COMP. haya empezado *etc*.

INFINITIF
PRESENT
empezar

PARTICIPE
PRESENT
empezando

PASSE
haber empezado

PASSE
empezado

PRESENT	**IMPARFAIT**	**FUTUR**
1 empujo	empujaba	empujaré
2 empujas	empujabas	empujarás
3 empuja	empujaba	empujará
1 empujamos	empujábamos	empujaremos
2 empujáis	empujabais	empujaréis
3 empujan	empujaban	empujarán

PASSE SIMPLE	**PASSE COMPOSE**	**PLUS-QUE-PARFAIT**
1 empujé	he empujado	había empujado
2 empujaste	has empujado	habías empujado
3 empujó	ha empujado	había empujado
1 empujamos	hemos empujado	habíamos empujado
2 empujasteis	habéis empujado	habíais empujado
3 empujaron	han empujado	habían empujado

PASSE ANTERIEUR

hube empujado *etc.*

FUTUR ANTERIEUR

habré empujado *etc.*

CONDITIONNEL		*IMPERATIF*
PRESENT	**PASSE**	
1 empujaría	habría empujado	
2 empujarías	habrías empujado	(tú) empuja
3 empujaría	habría empujado	(Vd) empuje
1 empujaríamos	habríamos empujado	(nosotros) empujemos
2 empujaríais	habríais empujado	(vosotros) empujad
3 empujarían	habrían empujado	(Vds) empujen

SUBJONCTIF		
PRESENT	**IMPARFAIT**	**PLUS-QUE-PARFAIT**
1 empuje	empuj-ara/ase	hubiera empujado
2 empujes	empuj-aras/ases	hubieras empujado
3 empuje	empuj-ara/ase	hubiera empujado
1 empujemos	empuj-áramos/ásemos	hubiéramos empujado
2 empujéis	empuj-arais/aseis	hubierais empujado
3 empujen	empuj-aran/asen	hubieran empujado

PAS. COMP. haya empujado *etc.*

INFINITIF	*PARTICIPE*
PRESENT	**PRESENT**
empujar	empujando
PASSE	**PASSE**
haber empujado	empujado

PRESENT
1 enciendo
2 enciendes
3 enciende
1 encendemos
2 encendéis
3 encienden

IMPARFAIT
encendía
encendías
encendía
encendíamos
encendíais
encendían

FUTUR
encenderé
encenderás
encenderá
encenderemos
encenderéis
encenderán

PASSE SIMPLE
1 encendí
2 encendiste
3 encendió
1 encendimos
2 encendisteis
3 encendieron

PASSE COMPOSE
he encendido
has encendido
ha encendido
hemos encendido
habéis encendido
han encendido

PLUS-QUE-PARFAIT
había encendido
habías encendido
había encendido
habíamos encendido
habíais encendido
habían encendido

PASSE ANTERIEUR
hube encendido *etc*.

FUTUR ANTERIEUR
habré encendido *etc*.

CONDITIONNEL
PRESENT
1 encendería
2 encenderías
3 encendería
1 encenderíamos
2 encenderíais
3 encenderían

PASSE
habría encendido
habrías encendido
habría encendido
habríamos encendido
habríais encendido
habrían encendido

IMPERATIF

(tú) enciende
(Vd) encienda
(nosotros) encendamos
(vosotros) encended
(Vds) enciendan

SUBJONCTIF
PRESENT
1 encienda
2 enciendas
3 encienda
1 encendamos
2 encendáis
3 enciendan

IMPARFAIT
encend-iera/iese
encend-ieras/ieses
encend-iera/iese
encend-iéramos/iésemos
encend-ierais/ieseis
encend-ieran/iesen

PLUS-QUE-PARFAIT
hubiera encendido
hubieras encendido
hubiera encendido
hubiéramos encendido
hubierais encendido
hubieran encendido

PAS. COMP. haya encendido *etc*.

INFINITIF
PRESENT
encender

PASSE
haber encendido

PARTICIPE
PRESENT
encendiendo

PASSE
encendido

trouver

PRESENT	IMPARFAIT	FUTUR
1 encuentro	encontraba	encontraré
2 encuentras	encontrabas	encontrarás
3 encuentra	encontraba	encontrará
1 encontramos	encontrábamos	encontraremos
2 encontráis	encontrabais	encontraréis
3 encuentran	encontraban	encontrarán

PASSE SIMPLE	PASSE COMPOSE	PLUS-QUE-PARFAIT
1 encontré	he encontrado	había encontrado
2 encontraste	has encontrado	habías encontrado
3 encontró	ha encontrado	había encontrado
1 encontramos	hemos encontrado	habíamos encontrado
2 encontrasteis	habéis encontrado	habíais encontrado
3 encontraron	han encontrado	habían encontrado

PASSE ANTERIEUR	FUTUR ANTERIEUR
hube encontrado *etc.*	habré encontrado *etc.*

CONDITIONNEL		*IMPERATIF*
PRESENT	**PASSE**	
1 encontraría	habría encontrado	
2 encontrarías	habrías encontrado	(tú) encuentra
3 encontraría	habría encontrado	(Vd) encuentre
1 encontraríamos	habríamos encontrado	(nosotros) encontremos
2 encontraríais	habríais encontrado	(vosotros) encontrad
3 encontrarían	habrían encontrado	(Vds) encuentren

SUBJONCTIF		
PRESENT	**IMPARFAIT**	**PLUS-QUE-PARFAIT**
1 encuentre	encontr-ara/ase	hubiera encontrado
2 encuentres	encontr-aras/ases	hubieras encontrado
3 encuentre	encontr-ara/ase	hubiera encontrado
1 encontremos	encontr-áramos/ásemos	hubiéramos encontrado
2 encontréis	encontr-arais/aseis	hubierais encontrado
3 encuentren	encontr-aran/asen	hubieran encontrado

PAS. COMP. haya encontrado *etc.*

INFINITIF	*PARTICIPE*
PRESENT	**PRESENT**
encontrar	encontrando
PASSE	**PASSE**
haber encontrado	encontrado

PRESENT	IMPARFAIT	FUTUR
1 enfrío	enfriaba	enfriaré
2 enfrías	enfriabas	enfriarás
3 enfría	enfriaba	enfriará
1 enfriamos	enfriábamos	enfriaremos
2 enfriáis	enfriabais	enfriaréis
3 enfrían	enfriaban	enfriarán

PASSE SIMPLE	PASSE COMPOSE	PLUS-QUE-PARFAIT
1 enfrié	he enfriado	había enfriado
2 enfriaste	has enfriado	habías enfriado
3 enfrió	ha enfriado	había enfriado
1 enfriamos	hemos enfriado	habíamos enfriado
2 enfriasteis	habéis enfriado	habíais enfriado
3 enfriaron	han enfriado	habían enfriado

PASSE ANTERIEUR

hube enfriado *etc.*

FUTUR ANTERIEUR

habré enfriado *etc.*

CONDITIONNEL		*IMPERATIF*
PRESENT	**PASSE**	
1 enfriaría	habría enfriado	
2 enfriarías	habrías enfriado	(tú) enfría
3 enfriaría	habría enfriado	(Vd) enfríe
1 enfriaríamos	habríamos enfriado	(nosotros) enfriemos
2 enfriaríais	habríais enfriado	(vosotros) enfriad
3 enfriarían	habrían enfriado	(Vds) enfríen

SUBJONCTIF

PRESENT	IMPARFAIT	PLUS-QUE-PARFAIT
1 enfríe	enfri-ara/ase	hubiera enfriado
2 enfríes	enfri-aras/ases	hubieras enfriado
3 enfríe	enfri-ara/ase	hubiera enfriado
1 enfriemos	enfri-áramos/ásemos	hubiéramos enfriado
2 enfriéis	enfri-arais/aseis	hubierais enfriado
3 enfríen	enfri-aran/asen	hubieran enfriado

PAS. COMP. haya enfriado *etc.*

INFINITIF	*PARTICIPE*
PRESENT	**PRESENT**
enfriar	enfriando
PASSE	**PASSE**
haber enfriado	enfriado

ENFURECERSE
entrer en fureur

PRESENT	**IMPARFAIT**	**FUTUR**
1 me enfurezco	me enfurecía	me enfureceré
2 te enfureces	te enfurecías	te enfurecerás
3 se enfurece	se enfurecía	se enfurecerá
1 nos enfurecemos	nos enfurecíamos	nos enfureceremos
2 os enfurecéis	os enfurecíais	os enfureceréis
3 se enfurecen	se enfurecían	se enfurecerán

PASSE SIMPLE	**PASSE COMPOSE**	**PLUS-QUE-PARFAIT**
1 me enfurecí	me he enfurecido	me había enfurecido
2 te enfureciste	te has enfurecido	te habías enfurecido
3 se enfureció	se ha enfurecido	se había enfurecido
1 nos enfurecimos	nos hemos enfurecido	nos habíamos enfurecido
2 os enfurecisteis	os habéis enfurecido	os habíais enfurecido
3 se enfurecieron	se han enfurecido	se habían enfurecido

PASSE ANTERIEUR	**FUTUR ANTERIEUR**
me hube enfurecido *etc.*	me habré enfurecido *etc.*

CONDITIONNEL		*IMPERATIF*
PRESENT	**PASSE**	
1 me enfurecería	me habría enfurecido	
2 te enfurecerías	te habrías enfurecido	(tú) enfurécete
3 se enfurecería	se habría enfurecido	(Vd) enfurézcase
1 nos enfureceríamos	nos habríamos enfurecido	(nosotros) enfurezcámonos
2 os enfureceríais	os habríais enfurecido	(vosotros) enfureceos
3 se enfurecerían	se habrían enfurecido	(Vds) enfurézcanse

SUBJONCTIF		
PRESENT	**IMPARFAIT**	**PLUS-QUE-PARFAIT**
1 me enfurezca	me enfurec-iera/iese	me hubiera enfurecido
2 te enfurezcas	te enfurec-ieras/ieses	te hubieras enfurecido
3 se enfurezca	se enfurec-iera/iese	se hubiera enfurecido
1 nos enfurezcamos	nos enfurec-iéramos/iésemos	nos hubiéramos enfurecido
2 os enfurezcáis	os enfurec-ierais/ieseis	os hubierais enfurecido
3 se enfurezcan	se enfurec-ieran/iesen	se hubieran enfurecido

PAS. COMP. me haya enfurecido *etc.*

INFINITIF	*PARTICIPE*
PRESENT	**PRESENT**
enfurecerse	enfureciéndose
PASSE	**PASSE**
haberse enfurecido	enfurecido

PRESENT	**IMPARFAIT**	**FUTUR**
1 enmudezco	enmudecía	enmudeceré
2 enmudeces	enmudecías	enmudecerás
3 enmudece	enmudecía	enmudecerá
1 enmudecemos	enmudecíamos	enmudeceremos
2 enmudecéis	enmudecíais	enmudeceréis
3 enmudecen	enmudecían	enmudecerán

PASSE SIMPLE	**PASSE COMPOSE**	**PLUS-QUE-PARFAIT**
1 enmudecí	he enmudecido	había enmudecido
2 enmudeciste	has enmudecido	habías enmudecido
3 enmudeció	ha enmudecido	había enmudecido
1 enmudecimos	hemos enmudecido	habíamos enmudecido
2 enmudecisteis	habéis enmudecido	habíais enmudecido
3 enmudecieron	han enmudecido	habían enmudecido

PASSE ANTERIEUR	**FUTUR ANTERIEUR**
hube enmudecido *etc*.	habré enmudecido *etc*.

CONDITIONNEL

PRESENT	**PASSE**	*IMPERATIF*
1 enmudecería	habría enmudecido	
2 enmudecerías	habrías enmudecido	(tú) enmudece
3 enmudecería	habría enmudecido	(Vd) enmudezca
1 enmudeceríamos	habríamos enmudecido	(nosotros) enmudezcamos
2 enmudeceríais	habríais enmudecido	(vosotros) enmudeced
3 enmudecerían	habrían enmudecido	(Vds) enmudezcan

SUBJONCTIF

PRESENT	**IMPARFAIT**	**PLUS-QUE-PARFAIT**
1 enmudezca	enmudec-iera/iese	hubiera enmudecido
2 enmudezcas	enmudec-ieras/ieses	hubieras enmudecido
3 enmudezca	enmudec-iera/iese	hubiera enmudecido
1 enmudezcamos	enmudec-iéramos/iésemos	hubiéramos enmudecido
2 enmudezcáis	enmudec-ierais/ieseis	hubierais enmudecido
3 enmudezcan	enmudec-ieran/iesen	hubieran enmudecido

PAS. COMP. haya enmudecido *etc*.

INFINITIF	*PARTICIPE*
PRESENT	**PRESENT**
enmudecer	enmudeciendo
PASSE	**PASSE**
haber enmudecido	enmudecido

PRESENT	**IMPARFAIT**	**FUTUR**
1 enraízo	enraizaba	enraizaré
2 enraízas	enraizabas	enraizarás
3 enraíza	enraizaba	enraizará
1 enraizamos	enraizábamos	enraizaremos
2 enraizáis	enraizabais	enraizaréis
3 enraízan	enraizaban	enraizarán

PASSE SIMPLE	**PASSE COMPOSE**	**PLUS-QUE-PARFAIT**
1 enraicé	he enraizado	había enraizado
2 enraizaste	has enraizado	habías enraizado
3 enraizó	ha enraizado	había enraizado
1 enraizamos	hemos enraizado	habíamos enraizado
2 enraizasteis	habéis enraizado	habíais enraizado
3 enraizaron	han enraizado	habían enraizado

PASSE ANTERIEUR

hube enraizado *etc.*

FUTUR ANTERIEUR

habré enraizado *etc.*

CONDITIONNEL
PRESENT	**PASSE**	*IMPERATIF*
1 enraizaría	habría enraizado	
2 enraizarías	habrías enraizado	(tú) enraíza
3 enraizaría	habría enraizado	(Vd) enraíce
1 enraizaríamos	habríamos enraizado	(nosotros) enraicemos
2 enraizaríais	habríais enraizado	(vosotros) enraizad
3 enraizarían	habrían enraizado	(Vds) enraícen

SUBJONCTIF
PRESENT	**IMPARFAIT**	**PLUS-QUE-PARFAIT**
1 enraíce	enraiz-ara/ase	hubiera enraizado
2 enraíces	enraiz-aras/ases	hubieras enraizado
3 enraíce	enraiz-ara/ase	hubiera enraizado
1 enraicemos	enraiz-áramos/ásemos	hubiéramos enraizado
2 enraicéis	enraiz-arais/aseis	hubierais enraizado
3 enraícen	enraiz-aran/asen	hubieran enraizado

PAS. COMP. haya enraizado *etc.*

INFINITIF	*PARTICIPE*
PRESENT	**PRESENT**
enraizar	enraizando
PASSE	**PASSE**
haber enraizado	enraizado

PRESENT	**IMPARFAIT**	**FUTUR**
1 entiendo	entendía	entenderé
2 entiendes	entendías	entenderás
3 entiende	entendía	entenderá
1 entendemos	entendíamos	entenderemos
2 entendéis	entendíais	entenderéis
3 entienden	entendían	entenderán

PASSE SIMPLE	**PASSE COMPOSE**	**PLUS-QUE-PARFAIT**
1 entendí	he entendido	había entendido
2 entendiste	has entendido	habías entendido
3 entendió	ha entendido	había entendido
1 entendimos	hemos entendido	habíamos entendido
2 entendisteis	habéis entendido	habíais entendido
3 entendieron	han entendido	habían entendido

PASSE ANTERIEUR

hube entendido *etc.*

FUTUR ANTERIEUR

habré entendido *etc.*

CONDITIONNEL		*IMPERATIF*
PRESENT	**PASSE**	
1 entendería	habría entendido	
2 entenderías	habrías entendido	(tú) entiende
3 entendería	habría entendido	(Vd) entienda
1 entenderíamos	habríamos entendido	(nosotros) entendamos
2 entenderíais	habríais entendido	(vosotros) entended
3 entenderían	habrían entendido	(Vds) entiendan

SUBJONCTIF

PRESENT	**IMPARFAIT**	**PLUS-QUE-PARFAIT**
1 entienda	entend-iera/iese	hubiera entendido
2 entiendas	entend-ieras/ieses	hubieras entendido
3 entienda	entend-iera/iese	hubiera entendido
1 entendamos	entend-iéramos/iésemos	hubiéramos entendido
2 entendáis	entend-ierais/ieseis	hubierais entendido
3 entiendan	entend-ieran/iesen	hubieran entendido

PAS. COMP. haya entendido *etc.*

INFINITIF	*PARTICIPE*
PRESENT	**PRESENT**
entender	entendiendo
PASSE	**PASSE**
haber entendido	entendido

PRESENT	**IMPARFAIT**	**FUTUR**
1 entro	entraba	entraré
2 entras	entrabas	entrarás
3 entra	entraba	entrará
1 entramos	entrábamos	entraremos
2 entráis	entrabais	entraréis
3 entran	entraban	entrarán

PASSE SIMPLE	**PASSE COMPOSE**	**PLUS-QUE-PARFAIT**
1 entré	he entrado	había entrado
2 entraste	has entrado	habías entrado
3 entró	ha entrado	había entrado
1 entramos	hemos entrado	habíamos entrado
2 entrasteis	habéis entrado	habíais entrado
3 entraron	han entrado	habían entrado

PASSE ANTERIEUR

hube entrado *etc.*

FUTUR ANTERIEUR

habré entrado *etc.*

CONDITIONNEL

PRESENT	**PASSE**	*IMPERATIF*
1 entraría	habría entrado	
2 entrarías	habrías entrado	(tú) entra
3 entraría	habría entrado	(Vd) entre
1 entraríamos	habríamos entrado	(nosotros) entremos
2 entraríais	habríais entrado	(vosotros) entrad
3 entrarían	habrían entrado	(Vds) entren

SUBJONCTIF

PRESENT	**IMPARFAIT**	**PLUS-QUE-PARFAIT**
1 entre	entr-ara/ase	hubiera entrado
2 entres	entr-aras/ases	hubieras entrado
3 entre	entr-ara/ase	hubiera entrado
1 entremos	entr-áramos/ásemos	hubiéramos entrado
2 entréis	entr-arais/aseis	hubierais entrado
3 entren	entr-aran/asen	hubieran entrado

PAS. COMP. haya entrado *etc.*

INFINITIF	*PARTICIPE*
PRESENT	**PRESENT**
entrar	entrando
PASSE	**PASSE**
haber entrado	entrado

PRESENT	**IMPARFAIT**	**FUTUR**
1 envío	enviaba	enviaré
2 envías	enviabas	enviarás
3 envía	enviaba	enviará
1 enviamos	enviábamos	enviaremos
2 enviáis	enviabais	enviaréis
3 envían	enviaban	enviarán

PASSE SIMPLE	**PASSE COMPOSE**	**PLUS-QUE-PARFAIT**
1 envié	he enviado	había enviado
2 enviaste	has enviado	habías enviado
3 envió	ha enviado	había enviado
1 enviamos	hemos enviado	habíamos enviado
2 enviasteis	habéis enviado	habíais enviado
3 enviaron	han enviado	habían enviado

PASSE ANTERIEUR	**FUTUR ANTERIEUR**
hube enviado *etc.*	habré enviado *etc.*

CONDITIONNEL

PRESENT	**PASSE**	*IMPERATIF*
1 enviaría	habría enviado	
2 enviarías	habrías enviado	(tú) envía
3 enviaría	habría enviado	(Vd) envíe
1 enviaríamos	habríamos enviado	(nosotros) enviemos
2 enviaríais	habríais enviado	(vosotros) enviad
3 enviarían	habrían enviado	(Vds) envíen

SUBJONCTIF

PRESENT	**IMPARFAIT**	**PLUS-QUE-PARFAIT**
1 envíe	envi-ara/ase	hubiera enviado
2 envíes	envi-aras/ases	hubieras enviado
3 envíe	envi-ara/ase	hubiera enviado
1 enviemos	envi-áramos/ásemos	hubiéramos enviado
2 enviéis	envi-arais/aseis	hubierais enviado
3 envíen	envi-aran/asen	hubieran enviado

PAS. COMP. haya enviado *etc.*

INFINITIF	*PARTICIPE*
PRESENT	**PRESENT**
enviar	enviando
PASSE	**PASSE**
haber enviado	enviado

PRESENT

1 me equivoco
2 te equivocas
3 se equivoca
1 nos equivocamos
2 os equivocáis
3 se equivocan

IMPARFAIT

me equivocaba
te equivocabas
se equivocaba
nos equivocábamos
os equivocabais
se equivocaban

FUTUR

me equivocaré
te equivocarás
se equivocará
nos equivocaremos
os equivocaréis
se equivocarán

PASSE SIMPLE

1 me equivoqué
2 te equivocaste
3 se equivocó
1 nos equivocamos
2 os equivocasteis
3 se equivocaron

PASSE COMPOSE

me he equivocado
te has equivocado
se ha equivocado
nos hemos equivocado
os habéis equivocado
se han equivocado

PLUS-QUE-PARFAIT

me había equivocado
te habías equivocado
se había equivocado
nos habíamos equivocado
os habíais equivocado
se habían equivocado

PASSE ANTERIEUR

me hube equivocado *etc.*

FUTUR ANTERIEUR

me habré equivocado *etc.*

CONDITIONNEL
PRESENT

1 me equivocaría
2 te equivocarías
3 se equivocaría
1 nos equivocaríamos
2 os equivocaríais
3 se equivocarían

PASSE

me habría equivocado
te habrías equivocado
se habría equivocado
nos habríamos equivocado
os habríais equivocado
se habrían equivocado

IMPERATIF

(tú) equivócate
(Vd) equivóquese
(nosotros) equivoquémonos
(vosotros) equivocaos
(Vds) equivóquense

SUBJONCTIF
PRESENT

1 me equivoque
2 te equivoques
3 se equivoque
1 nos equivoquemos
2 os equivoquéis
3 se equivoquen

IMPARFAIT

me equivoc-ara/ase
te equivoc-aras/ases
se equivoc-ara/ase
nos equivoc-áramos/ásemos
os equivoc-arais/aseis
se equivoc-aran/asen

PLUS-QUE-PARFAIT

me hubiera equivocado
te hubieras equivocado
se hubiera equivocado
nos hubiéramos equivocado
os hubierais equivocado
se hubieran equivocado

PAS. COMP. me haya equivocado *etc.*

INFINITIF
PRESENT

equivocarse

PASSE

haberse equivocado

PARTICIPE
PRESENT

equivocándose

PASSE

equivocado

PRESENT	**IMPARFAIT**	**FUTUR**
1 yergo/irgo	erguía	erguiré
2 yergues/irgues	erguías	erguirás
3 yergue/irgue	erguía	erguirá
1 erguimos	erguíamos	erguiremos
2 erguís	erguíais	erguiréis
3 yerguen/irguen	erguían	erguirán

PASSE SIMPLE	**PASSE COMPOSE**	**PLUS-QUE-PARFAIT**
1 erguí	he erguido	había erguido
2 erguiste	has erguido	habías erguido
3 irguió	ha erguido	había erguido
1 erguimos	hemos erguido	habíamos erguido
2 erguisteis	habéis erguido	habíais erguido
3 irguieron	han erguido	habían erguido

PASSE ANTERIEUR	**FUTUR ANTERIEUR**
hube erguido *etc.*	habré erguido *etc.*

CONDITIONNEL		*IMPERATIF*
PRESENT	**PASSE**	
1 erguiría	habría erguido	
2 erguirías	habrías erguido	(tú) yergue/irgue
3 erguiría	habría erguido	(Vd) yerga/irga
1 erguiríamos	habríamos erguido	(nosotros) irgamos/yergamos
2 erguiríais	habríais erguido	(vosotros) erguid
3 erguirían	habrían erguido	(Vds) yergan/irgan

SUBJONCTIF		
PRESENT	**IMPARFAIT**	**PLUS-QUE-PARFAIT**
1 yerga/irga	irgu-iera/iese	hubiera erguido
2 yergas/irgas	irgu-ieras/ieses	hubieras erguido
3 yerga/irga	irgu-iera/iese	hubiera erguido
1 irgamos/yergamos	irgu-iéramos/iésemos	hubiéramos erguido
2 irgáis/yergáis	irgu-ierais/ieseis	hubierais erguido
3 yergan/irgan	irgu-ieran/iesen	hubieran erguido

PAS. COMP. haya erguido *etc.*

INFINITIF	*PARTICIPE*	*N.B.*
PRESENT	**PRESENT**	La deuxième forme est
erguir	irguiendo	très peu utilisée.
PASSE	**PASSE**	
haber erguido	erguido	

errer, se tromper

PRESENT	IMPARFAIT	FUTUR
1 yerro	erraba	erraré
2 yerras	errabas	errarás
3 yerra	erraba	errará
1 erramos	errábamos	erraremos
2 erráis	errabais	erraréis
3 yerran	erraban	errarán

PASSE SIMPLE	PASSE COMPOSE	PLUS-QUE-PARFAIT
1 erré	he errado	había errado
2 erraste	has errado	habías errado
3 erró	ha errado	había errado
1 erramos	hemos errado	habíamos errado
2 errasteis	habéis errado	habíais errado
3 erraron	han errado	habían errado

PASSE ANTERIEUR	FUTUR ANTERIEUR
hube errado *etc.*	habré errado *etc.*

CONDITIONNEL
PRESENT	PASSE	*IMPERATIF*
1 erraría	habría errado	
2 errarías	habrías errado	(tú) yerra
3 erraría	habría errado	(Vd) yerre
1 erraríamos	habríamos errado	(nosotros) erremos
2 erraríais	habríais errado	(vosotros) errad
3 errarían	habrían errado	(Vds) yerren

SUBJONCTIF
PRESENT	IMPARFAIT	PLUS-QUE-PARFAIT
1 yerre	err-ara/ase	hubiera errado
2 yerres	err-aras/ases	hubieras errado
3 yerre	err-ara/ase	hubiera errado
1 erremos	err-áramos/ásemos	hubiéramos errado
2 erréis	err-arais/aseis	hubierais errado
3 yerren	err-aran/asen	hubieran errado

PAS. COMP. haya errado *etc.*

INFINITIF	*PARTICIPE*
PRESENT	**PRESENT**
errar	errando
PASSE	**PASSE**
haber errado	errado

PRESENT	**IMPARFAIT**	**FUTUR**
1 escribo	escribía	escribiré
2 escribes	escribías	escribirás
3 escribe	escribía	escribirá
1 escribimos	escribíamos	escribiremos
2 escribís	escribíais	escribiréis
3 escriben	escribían	escribirán

PASSE SIMPLE	**PASSE COMPOSE**	**PLUS-QUE-PARFAIT**
1 escribí	he escrito	había escrito
2 escribiste	has escrito	habías escrito
3 escribió	ha escrito	había escrito
1 escribimos	hemos escrito	habíamos escrito
2 escribisteis	habéis escrito	habíais escrito
3 escribieron	han escrito	habían escrito

PASSE ANTERIEUR

hube escrito *etc*.

FUTUR ANTERIEUR

habré escrito *etc*.

CONDITIONNEL

PRESENT	**PASSE**	*IMPERATIF*
1 escribiría	habría escrito	
2 escribirías	habrías escrito	(tú) escribe
3 escribiría	habría escrito	(Vd) escriba
1 escribiríamos	habríamos escrito	(nosotros) escribamos
2 escribiríais	habríais escrito	(vosotros) escribid
3 escribirían	habrían escrito	(Vds) escriban

SUBJONCTIF

PRESENT	**IMPARFAIT**	**PLUS-QUE-PARFAIT**
1 escriba	escrib-iera/iese	hubiera escrito
2 escribas	escrib-ieras/ieses	hubieras escrito
3 escriba	escrib-iera/iese	hubiera escrito
1 escribamos	escrib-iéramos/iésemos	hubiéramos escrito
2 escribáis	escrib-ierais/ieseis	hubierais escrito
3 escriban	escrib-ieran/iesen	hubieran escrito

PAS. COMP. haya escrito *etc*.

INFINITIF	*PARTICIPE*
PRESENT	**PRESENT**
escribir	escribiendo
PASSE	**PASSE**
haber escrito	escrito

100 ESFORZARSE
faire un effort

PRESENT	**IMPARFAIT**	**FUTUR**
1 me esfuerzo	me esforzaba	me esforzaré
2 te esfuerzas	te esforzabas	te esforzarás
3 se esfuerza	se esforzaba	se esforzará
1 nos esforzamos	nos esforzábamos	nos esforzaremos
2 os esforzáis	os esforzabais	os esforzaréis
3 se esfuerzan	se esforzaban	se esforzarán

PASSE SIMPLE	**PASSE COMPOSE**	**PLUS-QUE-PARFAIT**
1 me esforcé	me he esforzado	me había esforzado
2 te esforzaste	te has esforzado	te habías esforzado
3 se esforzó	se ha esforzado	se había esforzado
1 nos esforzamos	nos hemos esforzado	nos habíamos esforzado
2 os esforzasteis	os habéis esforzado	os habíais esforzado
3 se esforzaron	se han esforzado	se habían esforzado

PASSE ANTERIEUR

me hube esforzado *etc.*

FUTUR ANTERIEUR

me habré esforzado *etc.*

CONDITIONNEL

PRESENT	**PASSE**	*IMPERATIF*
1 me esforzaría	me habría esforzado	
2 te esforzarías	te habrías esforzado	(tú) esfuérzate
3 se esforzaría	se habría esforzado	(Vd) esfuércese
1 nos esforzaríamos	nos habríamos esforzado	(nosotros) esforcémonos
2 os esforzaríais	os habríais esforzado	(vosotros) esforzaos
3 se esforzarían	se habrían esforzado	(Vds) esfuércense

SUBJONCTIF

PRESENT	**IMPARFAIT**	**PLUS-QUE-PARFAIT**
1 me esfuerce	me esforz-ara/ase	me hubiera esforzado
2 te esfuerces	te esforz-aras/ases	te hubieras esforzado
3 se esfuerce	se esforz-ara/ase	se hubiera esforzado
1 nos esforcemos	nos esforz-áramos/ásemos	nos hubiéramos esforzado
2 os esforcéis	os esforz-arais/aseis	os hubierais esforzado
3 se esfuercen	se esforz-aran/asen	se hubieran esforzado

PAS. COMP. me haya esforzado *etc.*

INFINITIF	*PARTICIPE*
PRESENT	**PRESENT**
esforzarse	esforzándose
PASSE	**PASSE**
haberse esforzado	esforzado

PRESENT	**IMPARFAIT**	**FUTUR**
1 espero	esperaba	esperaré
2 esperas	esperabas	esperarás
3 espera	esperaba	esperará
1 esperamos	esperábamos	esperaremos
2 esperáis	esperabais	esperaréis
3 esperan	esperaban	esperarán

PASSE SIMPLE	**PASSE COMPOSE**	**PLUS-QUE-PARFAIT**
1 esperé	he esperado	había esperado
2 esperaste	has esperado	habías esperado
3 esperó	ha esperado	había esperado
1 esperamos	hemos esperado	habíamos esperado
2 esperasteis	habéis esperado	habíais esperado
3 esperaron	han esperado	habían esperado

PASSE ANTERIEUR

hube esperado *etc.*

FUTUR ANTERIEUR

habré esperado *etc.*

CONDITIONNEL		*IMPERATIF*
PRESENT	**PASSE**	
1 esperaría	habría esperado	
2 esperarías	habrías esperado	(tú) espera
3 esperaría	habría esperado	(Vd) espere
1 esperaríamos	habríamos esperado	(nosotros) esperemos
2 esperaríais	habríais esperado	(vosotros) esperad
3 esperarían	habrían esperado	(Vds) esperen

SUBJONCTIF		
PRESENT	**IMPARFAIT**	**PLUS-QUE-PARFAIT**
1 espere	esper-ara/ase	hubiera esperado
2 esperes	esper-aras/ases	hubieras esperado
3 espere	esper-ara/ase	hubiera esperado
1 esperemos	esper-áramos/ásemos	hubiéramos esperado
2 esperéis	esper-arais/aseis	hubierais esperado
3 esperen	esper-aran/asen	hubieran esperado

PAS. COMP. haya esperado *etc.*

INFINITIF	*PARTICIPE*
PRESENT	**PRESENT**
esperar	esperando
PASSE	**PASSE**
haber esperado	esperado

PRESENT	**IMPARFAIT**	**FUTUR**
1 estoy	estaba	estaré
2 estás	estabas	estarás
3 está	estaba	estará
1 estamos	estábamos	estaremos
2 estáis	estabais	estaréis
3 están	estaban	estarán

PASSE SIMPLE	**PASSE COMPOSE**	**PLUS-QUE-PARFAIT**
1 estuve	he estado	había estado
2 estuviste	has estado	habías estado
3 estuvo	ha estado	había estado
1 estuvimos	hemos estado	habíamos estado
2 estuvisteis	habéis estado	habíais estado
3 estuvieron	han estado	habían estado

PASSE ANTERIEUR

hube estado *etc.*

FUTUR ANTERIEUR

habré estado *etc.*

CONDITIONNEL

PRESENT	**PASSE**	*IMPERATIF*
1 estaría	habría estado	
2 estarías	habrías estado	(tú) está
3 estaría	habría estado	(Vd) esté
1 estaríamos	habríamos estado	(nosotros) estemos
2 estaríais	habríais estado	(vosotros) estad
3 estarían	habrían estado	(Vds) estén

SUBJONCTIF

PRESENT	**IMPARFAIT**	**PLUS-QUE-PARFAIT**
1 esté	estuv-iera/iese	hubiera estado
2 estés	estuv-ieras/ieses	hubieras estado
3 esté	estuv-iera/iese	hubiera estado
1 estemos	estuv-iéramos/iésemos	hubiéramos estado
2 estéis	estuv-ierais/ieseis	hubierais estado
3 estén	estuv-ieran/iesen	hubieran estado

PAS. COMP. haya estado *etc.*

INFINITIF	*PARTICIPE*
PRESENT	**PRESENT**
estar	estando
PASSE	**PASSE**
haber estado	estado

PRESENT
1 evacuo
2 evacuas
3 evacua
1 evacuamos
2 evacuáis
3 evacuan

IMPARFAIT
evacuaba
evacuabas
evacuaba
evacuábamos
evacuabais
evacuaban

FUTUR
evacuaré
evacuarás
evacuará
evacuaremos
evacuaréis
evacuarán

PASSE SIMPLE
1 evacué
2 evacuaste
3 evacuó
1 evacuamos
2 evacuasteis
3 evacuaron

PASSE COMPOSE
he evacuado
has evacuado
ha evacuado
hemos evacuado
habéis evacuado
han evacuado

PLUS-QUE-PARFAIT
había evacuado
habías evacuado
había evacuado
habíamos evacuado
habíais evacuado
habían evacuado

PASSE ANTERIEUR
hube evacuado *etc.*

FUTUR ANTERIEUR
habré evacuado *etc.*

CONDITIONNEL
PRESENT
1 evacuaría
2 evacuarías
3 evacuaría
1 evacuaríamos
2 evacuaríais
3 evacuarían

PASSE
habría evacuado
habrías evacuado
habría evacuado
habríamos evacuado
habríais evacuado
habrían evacuado

IMPERATIF

(tú) evacua
(Vd) evacue
(nosotros) evacuemos
(vosotros) evacuad
(Vds) evacuen

SUBJONCTIF
PRESENT
1 evacue
2 evacues
3 evacue
1 evacuemos
2 evacuéis
3 evacuen

IMPARFAIT
evacu-ara/ase
evacu-aras/ases
evacu-ara/ase
evacu-áramos/ásemos
evacu-arais/aseis
evacu-aran/asen

PLUS-QUE-PARFAIT
hubiera evacuado
hubieras evacuado
hubiera evacuado
hubiéramos evacuado
hubierais evacuado
hubieran evacuado

PAS. COMP. haya evacuado *etc.*

INFINITIF
PRESENT
evacuar

PARTICIPE
PRESENT
evacuando

PASSE
haber evacuado

PASSE
evacuado

104 EXIGIR
exiger

PRESENT	IMPARFAIT	FUTUR
1 exijo	exigía	exigiré
2 exiges	exigías	exigirás
3 exige	exigía	exigirá
1 exigimos	exigíamos	exigiremos
2 exigís	exigíais	exigiréis
3 exigen	exigían	exigirán

PASSE SIMPLE	PASSE COMPOSE	PLUS-QUE-PARFAIT
1 exigí	he exigido	había exigido
2 exigiste	has exigido	habías exigido
3 exigió	ha exigido	había exigido
1 exigimos	hemos exigido	habíamos exigido
2 exigisteis	habéis exigido	habíais exigido
3 exigieron	han exigido	habían exigido

PASSE ANTERIEUR

hube exigido *etc.*

FUTUR ANTERIEUR

habré exigido *etc.*

CONDITIONNEL

PRESENT	PASSE	IMPERATIF
1 exigiría	habría exigido	
2 exigirías	habrías exigido	(tú) exige
3 exigiría	habría exigido	(Vd) exija
1 exigiríamos	habríamos exigido	(nosotros) exijamos
2 exigiríais	habríais exigido	(vosotros) exigid
3 exigirían	habrían exigido	(Vds) exijan

SUBJONCTIF

PRESENT	IMPARFAIT	PLUS-QUE-PARFAIT
1 exija	exig-iera/iese	hubiera exigido
2 exijas	exig-ieras/ieses	hubieras exigido
3 exija	exig-iera/iese	hubiera exigido
1 exijamos	exig-iéramos/iésemos	hubiéramos exigido
2 exijáis	exig-ierais/ieseis	hubierais exigido
3 exijan	exig-ieran/iesen	hubieran exigido

PAS. COMP. haya exigido *etc.*

INFINITIF	PARTICIPE
PRESENT	**PRESENT**
exigir	exigiendo
PASSE	**PASSE**
haber exigido	exigido

PRESENT	**IMPARFAIT**	**FUTUR**
1 explico	explicaba	explicaré
2 explicas	explicabas	explicarás
3 explica	explicaba	explicará
1 explicamos	explicábamos	explicaremos
2 explicáis	explicabais	explicaréis
3 explican	explicaban	explicarán

PASSE SIMPLE	**PASSE COMPOSE**	**PLUS-QUE-PARFAIT**
1 expliqué	he explicado	había explicado
2 explicaste	has explicado	habías explicado
3 explicó	ha explicado	había explicado
1 explicamos	hemos explicado	habíamos explicado
2 explicasteis	habéis explicado	habíais explicado
3 explicaron	han explicado	habían explicado

PASSE ANTERIEUR

hube explicado *etc.*

FUTUR ANTERIEUR

habré explicado *etc.*

CONDITIONNEL

PRESENT	**PASSE**	*IMPERATIF*
1 explicaría	habría explicado	
2 explicarías	habrías explicado	(tú) explica
3 explicaría	habría explicado	(Vd) explique
1 explicaríamos	habríamos explicado	(nosotros) expliquemos
2 explicaríais	habríais explicado	(vosotros) explicad
3 explicarían	habrían explicado	(Vds) expliquen

SUBJONCTIF

PRESENT	**IMPARFAIT**	**PLUS-QUE-PARFAIT**
1 explique	explic-ara/ase	hubiera explicado
2 expliques	explic-aras/ases	hubieras explicado
3 explique	explic-ara/ase	hubiera explicado
1 expliquemos	explic-áramos/ásemos	hubiéramos explicado
2 expliquéis	explic-arais/aseis	hubierais explicado
3 expliquen	explic-aran/asen	hubieran explicado

PAS. COMP. haya explicado *etc.*

INFINITIF	*PARTICIPE*
PRESENT	**PRESENT**
explicar	explicando
PASSE	**PASSE**
haber explicado	explicado

FREGAR
récurer, faire la vaisselle

PRESENT	IMPARFAIT	FUTUR
1 friego	fregaba	fregaré
2 friegas	fregabas	fregarás
3 friega	fregaba	fregará
1 fregamos	fregábamos	fregaremos
2 fregáis	fregabais	fregaréis
3 friegan	fregaban	fregarán

PASSE SIMPLE	PASSE COMPOSE	PLUS-QUE-PARFAIT
1 fregué	he fregado	había fregado
2 fregaste	has fregado	habías fregado
3 fregó	ha fregado	había fregado
1 fregamos	hemos fregado	habíamos fregado
2 fregasteis	habéis fregado	habíais fregado
3 fregaron	han fregado	habían fregado

PASSE ANTERIEUR

hube fregado *etc.*

FUTUR ANTERIEUR

habré fregado *etc.*

CONDITIONNEL

PRESENT	PASSE	IMPERATIF
1 fregaría	habría fregado	
2 fregarías	habrías fregado	
3 fregaría	habría fregado	(tú) friega
1 fregaríamos	habríamos fregado	(Vd) friegue
2 fregaríais	habríais fregado	(nosotros) freguemos
3 fregarían	habrían fregado	(vosotros) fregad
		(Vds) frieguen

SUBJONCTIF

PRESENT	IMPARFAIT	PLUS-QUE-PARFAIT
1 friegue	freg-ara/ase	hubiera fregado
2 friegues	freg-aras/ases	hubieras fregado
3 friegue	freg-ara/ase	hubiera fregado
1 freguemos	freg-áramos/ásemos	hubiéramos fregado
2 freguéis	freg-arais/aseis	hubierais fregado
3 frieguen	freg-aran/asen	hubieran fregado

PAS. COMP. haya fregado *etc.*

INFINITIF	*PARTICIPE*
PRESENT	**PRESENT**
fregar	fregando
PASSE	**PASSE**
haber fregado	fregado

PRESENT	**IMPARFAIT**	**FUTUR**
1 frío	freía	freiré
2 fríes	freías	freirás
3 fríe	freía	freirá
1 freímos	freíamos	freiremos
2 freís	freíais	freiréis
3 fríen	freían	freirán

PASSE SIMPLE	**PASSE COMPOSE**	**PLUS-QUE-PARFAIT**
1 freí	he frito	había frito
2 freíste	has frito	habías frito
3 frió	ha frito	había frito
1 freímos	hemos frito	habíamos frito
2 freísteis	habéis frito	habíais frito
3 frieron	han frito	habían frito

PASSE ANTERIEUR

hube frito *etc.*

FUTUR ANTERIEUR

habré frito *etc.*

CONDITIONNEL

PRESENT	**PASSE**	*IMPERATIF*
1 freiría	habría frito	
2 freirías	habrías frito	(tú) fríe
3 freiría	habría frito	(Vd) fría
1 freiríamos	habríamos frito	(nosotros) friamos
2 freiríais	habríais frito	(vosotros) freíd
3 freirían	habrían frito	(Vds) frían

SUBJONCTIF

PRESENT	**IMPARFAIT**	**PLUS-QUE-PARFAIT**
1 fría	fr-iera/iese	hubiera frito
2 frías	fr-ieras/ieses	hubieras frito
3 fría	fr-iera/iese	hubiera frito
1 friamos	fr-iéramos/iésemos	hubiéramos frito
2 friáis	fr-ierais/ieseis	hubierais frito
3 frían	fr-ieran/iesen	hubieran frito

PAS. COMP. haya frito *etc.*

INFINITIF	*PARTICIPE*
PRESENT	**PRESENT**
freír	friendo
PASSE	**PASSE**
haber frito	frito

108 GEMIR
gémir, geindre

PRESENT	IMPARFAIT	FUTUR
1 gimo	gemía	gemiré
2 gimes	gemías	gemirás
3 gime	gemía	gemirá
1 gemimos	gemíamos	gemiremos
2 gemís	gemíais	gemiréis
3 gimen	gemían	gemirán

PASSE SIMPLE	PASSE COMPOSE	PLUS-QUE-PARFAIT
1 gemí	he gemido	había gemido
2 gemiste	has gemido	habías gemido
3 gimió	ha gemido	había gemido
1 gemimos	hemos gemido	habíamos gemido
2 gemisteis	habéis gemido	habíais gemido
3 gimieron	han gemido	habían gemido

PASSE ANTERIEUR

hube gemido *etc.*

FUTUR ANTERIEUR

habré gemido *etc.*

CONDITIONNEL

PRESENT	PASSE	IMPERATIF
1 gemiría	habría gemido	
2 gemirías	habrías gemido	(tú) gime
3 gemiría	habría gemido	(Vd) gima
1 gemiríamos	habríamos gemido	(nosotros) gimamos
2 gemiríais	habríais gemido	(vosotros) gemid
3 gemirían	habrían gemido	(Vds) giman

SUBJONCTIF

PRESENT	IMPARFAIT	PLUS-QUE-PARFAIT
1 gima	gim-iera/iese	hubiera gemido
2 gimas	gim-ieras/ieses	hubieras gemido
3 gima	gim-iera/iese	hubiera gemido
1 gimamos	gim-iéramos/iésemos	hubiéramos gemido
2 gimáis	gim-ierais/ieseis	hubierais gemido
3 giman	gim-ieran/iesen	hubieran gemido

PAS. COMP. haya gemido *etc.*

INFINITIF	*PARTICIPE*
PRESENT	**PRESENT**
gemir	gimiendo
PASSE	**PASSE**
haber gemido	gemido

PRESENT	IMPARFAIT	FUTUR
1 gruño	gruñía	gruñiré
2 gruñes	gruñías	gruñirás
3 gruñe	gruñía	gruñirá
1 gruñimos	gruñíamos	gruñiremos
2 gruñís	gruñíais	gruñiréis
3 gruñen	gruñían	gruñirán

PASSE SIMPLE	PASSE COMPOSE	PLUS-QUE-PARFAIT
1 gruñí	he gruñido	había gruñido
2 gruñiste	has gruñido	habías gruñido
3 gruñó	ha gruñido	había gruñido
1 gruñimos	hemos gruñido	habíamos gruñido
2 gruñisteis	habéis gruñido	habíais gruñido
3 gruñeron	han gruñido	habían gruñido

PASSE ANTERIEUR	FUTUR ANTERIEUR
hube gruñido *etc*.	habré gruñido *etc*.

CONDITIONNEL		*IMPERATIF*
PRESENT	**PASSE**	
1 gruñiría	habría gruñido	
2 gruñirías	habrías gruñido	(tú) gruñe
3 gruñiría	habría gruñido	(Vd) gruña
1 gruñiríamos	habríamos gruñido	(nosotros) gruñamos
2 gruñiríais	habríais gruñido	(vosotros) gruñid
3 gruñirían	habrían gruñido	(Vds) gruñan

SUBJONCTIF		
PRESENT	**IMPARFAIT**	**PLUS-QUE-PARFAIT**
1 gruña	gruñ-era/ese	hubiera gruñido
2 gruñas	gruñ-eras/eses	hubieras gruñido
3 gruña	gruñ-era/ese	hubiera gruñido
1 gruñamos	gruñ-éramos/ésemos	hubiéramos gruñido
2 gruñáis	gruñ-erais/eseis	hubierais gruñido
3 gruñan	gruñ-eran/esen	hubieran gruñido

PAS. COMP. haya gruñido *etc*.

INFINITIF	*PARTICIPE*
PRESENT	**PRESENT**
gruñir	gruñendo
PASSE	**PASSE**
haber gruñido	gruñido

110 GUSTAR
aimer

PRESENT	IMPARFAIT	FUTUR
1 gusto	gustaba	gustaré
2 gustas	gustabas	gustarás
3 gusta	gustaba	gustará
1 gustamos	gustábamos	gustaremos
2 gustáis	gustabais	gustaréis
3 gustan	gustaban	gustarán

PASSE SIMPLE	PASSE COMPOSE	PLUS-QUE-PARFAIT
1 gusté	he gustado	había gustado
2 gustaste	has gustado	habías gustado
3 gustó	ha gustado	había gustado
1 gustamos	hemos gustado	habíamos gustado
2 gustasteis	habéis gustado	habíais gustado
3 gustaron	han gustado	habían gustado

PASSE ANTERIEUR	FUTUR ANTERIEUR
hube gustado *etc*.	habré gustado *etc*.

CONDITIONNEL

PRESENT	PASSE	*IMPERATIF*
1 gustaría	habría gustado	
2 gustarías	habrías gustado	(tú) gusta
3 gustaría	habría gustado	(Vd) guste
1 gustaríamos	habríamos gustado	(nosotros) gustemos
2 gustaríais	habríais gustado	(vosotros) gustad
3 gustarían	habrían gustado	(Vds) gusten

SUBJONCTIF

PRESENT	IMPARFAIT	PLUS-QUE-PARFAIT
1 guste	gust-ara/ase	hubiera gustado
2 gustes	gust-aras/ases	hubieras gustado
3 guste	gust-ara/ase	hubiera gustado
1 gustemos	gust-áramos/ásemos	hubiéramos gustado
2 gustéis	gust-arais/aseis	hubierais gustado
3 gusten	gust-aran/asen	hubieran gustado

PAS. COMP. haya gustado *etc*.

INFINITIF	*PARTICIPE*	N.B.
PRESENT	**PRESENT**	Utilisé en général à la
gustar	gustando	troisième personne
		seulement ; j'aime : me
PASSE	**PASSE**	gusta.
haber gustado	gustado	

PRESENT	**IMPARFAIT**	**FUTUR**
1 he	había	habré
2 has	habías	habrás
3 ha/hay*	había	habrá
1 hemos	habíamos	habremos
2 habéis	habíais	habréis
3 han	habían	habrán

PASSE SIMPLE	**PASSE COMPOSE**	**PLUS-QUE-PARFAIT**
1 hube		
2 hubiste		
3 hubo	ha habido	había habido
1 hubimos		
2 hubisteis		
3 hubieron		

PASSE ANTERIEUR	**FUTUR ANTERIEUR**
hubo habido *etc.*	habrá habido *etc.*

CONDITIONNEL		*IMPERATIF*
PRESENT	**PASSE**	
1 habría		
2 habrías		
3 habría	habría habido	
1 habríamos		
2 habríais		
3 habrían		

SUBJONCTIF		
PRESENT	**IMPARFAIT**	**PLUS-QUE-PARFAIT**
1 haya	hub-iera/iese	
2 hayas	hub-ieras/ieses	
3 haya	hub-iera/iese	hubiera habido
1 hayamos	hub-iéramos/iésemos	
2 hayáis	hub-ierais/ieseis	
3 hayan	hub-ieran/iesen	

PAS. COMP. haya habido *etc.*

INFINITIF	*PARTICIPE*	*N.B.*
PRESENT	**PRESENT**	
haber	habiendo	
PASSE	**PASSE**	
haber habido	habido	

N.B. Ce verbe est un auxiliaire utilisé pour former les temps composés ; par exemple, he bebido : j'ai bu. Voir aussi TENER.
*'hay' signifie 'il y a'.

PRESENT	**IMPARFAIT**	**FUTUR**
1 hablo	hablaba	hablaré
2 hablas	hablabas	hablarás
3 habla	hablaba	hablará
1 hablamos	hablábamos	hablaremos
2 habláis	hablabais	hablaréis
3 hablan	hablaban	hablarán

PASSE SIMPLE	**PASSE COMPOSE**	**PLUS-QUE-PARFAIT**
1 hablé	he hablado	había hablado
2 hablaste	has hablado	habías hablado
3 habló	ha hablado	había hablado
1 hablamos	hemos hablado	habíamos hablado
2 hablasteis	habéis hablado	habíais hablado
3 hablaron	han hablado	habían hablado

PASSE ANTERIEUR

hube hablado *etc.*

FUTUR ANTERIEUR

habré hablado *etc.*

CONDITIONNEL

PRESENT	**PASSE**	*IMPERATIF*
1 hablaría	habría hablado	
2 hablarías	habrías hablado	(tú) habla
3 hablaría	habría hablado	(Vd) hable
1 hablaríamos	habríamos hablado	(nosotros) hablemos
2 hablaríais	habríais hablado	(vosotros) hablad
3 hablarían	habrían hablado	(Vds) hablen

SUBJONCTIF

PRESENT	**IMPARFAIT**	**PLUS-QUE-PARFAIT**
1 hable	habl-ara/ase	hubiera hablado
2 hables	habl-aras/ases	hubieras hablado
3 hable	habl-ara/ase	hubiera hablado
1 hablemos	habl-áramos/ásemos	hubiéramos hablado
2 habléis	habl-arais/aseis	hubierais hablado
3 hablen	habl-aran/asen	hubieran hablado

PAS. COMP. haya hablado *etc.*

INFINITIF	*PARTICIPE*
PRESENT	**PRESENT**
hablar	hablando
PASSE	**PASSE**
haber hablado	hablado

PRESENT	**IMPARFAIT**	**FUTUR**
1 hago	hacía	haré
2 haces	hacías	harás
3 hace	hacía	hará
1 hacemos	hacíamos	haremos
2 hacéis	hacíais	haréis
3 hacen	hacían	harán

PASSE SIMPLE	**PASSE COMPOSE**	**PLUS-QUE-PARFAIT**
1 hice	he hecho	había hecho
2 hiciste	has hecho	habías hecho
3 hizo	ha hecho	había hecho
1 hicimos	hemos hecho	habíamos hecho
2 hicisteis	habéis hecho	habíais hecho
3 hicieron	han hecho	habían hecho

PASSE ANTERIEUR	**FUTUR ANTERIEUR**
hube hecho *etc.*	habré hecho *etc.*

CONDITIONNEL		*IMPERATIF*
PRESENT	**PASSE**	
1 haría	habría hecho	
2 harías	habrías hecho	(tú) haz
3 haría	habría hecho	(Vd) haga
1 haríamos	habríamos hecho	(nosotros) hagamos
2 haríais	habríais hecho	(vosotros) haced
3 harían	habrían hecho	(Vds) hagan

SUBJONCTIF		
PRESENT	**IMPARFAIT**	**PLUS-QUE-PARFAIT**
1 haga	hic-iera/iese	hubiera hecho
2 hagas	hic-ieras/ieses	hubieras hecho
3 haga	hic-iera/iese	hubiera hecho
1 hagamos	hic-iéramos/iésemos	hubiéramos hecho
2 hagáis	hic-ierais/ieseis	hubierais hecho
3 hagan	hic-ieran/iesen	hubieran hecho

PAS. COMP. haya hecho *etc.*

INFINITIF	*PARTICIPE*
PRESENT	**PRESENT**
hacer	haciendo
PASSE	**PASSE**
haber hecho	hecho

PRESENT	**IMPARFAIT**	**FUTUR**
1 me hallo	me hallaba	me hallaré
2 te hallas	te hallabas	te hallarás
3 se halla	se hallaba	se hallará
1 nos hallamos	nos hallábamos	nos hallaremos
2 os halláis	os hallabais	os hallaréis
3 se hallan	se hallaban	se hallarán

PASSE SIMPLE	**PASSE COMPOSE**	**PLUS-QUE-PARFAIT**
1 me hallé	me he hallado	me había hallado
2 te hallaste	te has hallado	te habías hallado
3 se halló	se ha hallado	se había hallado
1 nos hallamos	nos hemos hallado	nos habíamos hallado
2 os hallasteis	os habéis hallado	os habíais hallado
3 se hallaron	se han hallado	se habían hallado

PASSE ANTERIEUR

me hube hallado *etc.*

FUTUR ANTERIEUR

me habré hallado *etc.*

CONDITIONNEL		*IMPERATIF*
PRESENT	**PASSE**	
1 me hallaría	me habría hallado	
2 te hallarías	te habrías hallado	(tú) hállate
3 se hallaría	se habría hallado	(Vd) hállese
1 nos hallaríamos	nos habríamos hallado	(nosotros) hallémonos
2 os hallaríais	os habríais hallado	(vosotros) hallaos
3 se hallarían	se habrían hallado	(Vds) hállense

SUBJONCTIF		
PRESENT	**IMPARFAIT**	**PLUS-QUE-PARFAIT**
1 me halle	me hall-ara/ase	me hubiera hallado
2 te halles	te hall-aras/ases	te hubieras hallado
3 se halle	se hall-ara/ase	se hubiera hallado
1 nos hallemos	nos hall-áramos/ásemos	nos hubiéramos hallado
2 os halléis	os hall-arais/aseis	os hubierais hallado
3 se hallen	se hall-aran/asen	se hubieran hallado

PAS. COMP. me haya hallado *etc.*

INFINITIF	*PARTICIPE*
PRESENT	**PRESENT**
hallarse	hallándose
PASSE	**PASSE**
haberse hallado	hallado

PRESENT	IMPARFAIT	FUTUR
3 hiela	helaba	helará

PASSE SIMPLE	PASSE COMPOSE	PLUS-QUE-PARFAIT
3 heló	ha helado	había helado

PASSE ANTERIEUR		FUTUR ANTERIEUR
hubo helado		habrá helado

CONDITIONNEL PRESENT	PASSE	*IMPERATIF*
3 helaría	habría helado	

SUBJONCTIF PRESENT	IMPARFAIT	PLUS-QUE-PARFAIT
3 hiele	hel-ara/ase	hubiera helado

PAS. COMP. haya helado

INFINITIF PRESENT	*PARTICIPE* PRESENT
helar	helando
PASSE	**PASSE**
haber helado	helado

116 HERIR
blesser

PRESENT	IMPARFAIT	FUTUR
1 hiero	hería	heriré
2 hieres	herías	herirás
3 hiere	hería	herirá
1 herimos	heríamos	heriremos
2 herís	heríais	heriréis
3 hieren	herían	herirán

PASSE SIMPLE	PASSE COMPOSE	PLUS-QUE-PARFAIT
1 herí	he herido	había herido
2 heriste	has herido	habías herido
3 hirió	ha herido	había herido
1 herimos	hemos herido	habíamos herido
2 heristeis	habéis herido	habíais herido
3 hirieron	han herido	habían herido

PASSE ANTERIEUR

hube herido *etc.*

FUTUR ANTERIEUR

habré herido *etc.*

CONDITIONNEL

PRESENT	PASSE	IMPERATIF
1 heriría	habría herido	
2 herirías	habrías herido	(tú) hiere
3 heriría	habría herido	(Vd) hiera
1 heriríamos	habríamos herido	(nosotros) hiramos
2 heriríais	habríais herido	(vosotros) herid
3 herirían	habrían herido	(Vds) hieran

SUBJONCTIF

PRESENT	IMPARFAIT	PLUS-QUE-PARFAIT
1 hiera	hir-iera/iese	hubiera herido
2 hieras	hir-ieras/ieses	hubieras herido
3 hiera	hir-iera/iese	hubiera herido
1 hiramos	hir-iéramos/iésemos	hubiéramos herido
2 hiráis	hir-ierais/ieseis	hubierais herido
3 hieran	hir-ieran/iesen	hubieran herido

PAS. COMP. haya herido *etc.*

INFINITIF	PARTICIPE
PRESENT	**PRESENT**
herir	hiriendo
PASSE	**PASSE**
haber herido	herido

PRESENT	**IMPARFAIT**	**FUTUR**
1 huyo	huía	huiré
2 huyes	huías	huirás
3 huye	huía	huirá
1 huimos	huíamos	huiremos
2 huís	huíais	huiréis
3 huyen	huían	huirán

PASSE SIMPLE	**PASSE COMPOSE**	**PLUS-QUE-PARFAIT**
1 huí	he huido	había huido
2 huiste	has huido	habías huido
3 huyó	ha huido	había huido
1 huimos	hemos huido	habíamos huido
2 huisteis	habéis huido	habíais huido
3 huyeron	han huido	habían huido

PASSE ANTERIEUR	**FUTUR ANTERIEUR**
hube huido *etc.*	habré huido *etc.*

CONDITIONNEL

PRESENT	**PASSE**	*IMPERATIF*
1 huiría	habría huido	
2 huirías	habrías huido	(tú) huye
3 huiría	habría huido	(Vd) huya
1 huiríamos	habríamos huido	(nosotros) huyamos
2 huiríais	habríais huido	(vosotros) huid
3 huirían	habrían huido	(Vds) huyan

SUBJONCTIF

PRESENT	**IMPARFAIT**	**PLUS-QUE-PARFAIT**
1 huya	hu-yera/yese	hubiera huido
2 huyas	hu-yeras/yeses	hubieras huido
3 huya	hu-yera/yese	hubiera huido
1 huyamos	hu-yéramos/yésemos	hubiéramos huido
2 huyáis	hu-yerais/yeseis	hubierais huido
3 huyan	hu-yeran/yesen	hubieran huido

PAS. COMP. haya huido *etc.*

INFINITIF	*PARTICIPE*
PRESENT	**PRESENT**
huir	huyendo
PASSE	**PASSE**
haber huido	huido

PRESENT	**IMPARFAIT**	**FUTUR**
1 indico	indicaba	indicaré
2 indicas	indicabas	indicarás
3 indica	indicaba	indicará
1 indicamos	indicábamos	indicaremos
2 indicáis	indicabais	indicaréis
3 indican	indicaban	indicarán

PASSE SIMPLE	**PASSE COMPOSE**	**PLUS-QUE-PARFAIT**
1 indiqué	he indicado	había indicado
2 indicaste	has indicado	habías indicado
3 indicó	ha indicado	había indicado
1 indicamos	hemos indicado	habíamos indicado
2 indicasteis	habéis indicado	habíais indicado
3 indicaron	han indicado	habían indicado

PASSE ANTERIEUR

hube indicado *etc.*

FUTUR ANTERIEUR

habré indicado *etc.*

CONDITIONNEL

PRESENT	**PASSE**	*IMPERATIF*
1 indicaría	habría indicado	
2 indicarías	habrías indicado	(tú) indica
3 indicaría	habría indicado	(Vd) indique
1 indicaríamos	habríamos indicado	(nosotros) indiquemos
2 indicaríais	habríais indicado	(vosotros) indicad
3 indicarían	habrían indicado	(Vds) indiquen

SUBJONCTIF

PRESENT	**IMPARFAIT**	**PLUS-QUE-PARFAIT**
1 indique	indic-ara/ase	hubiera indicado
2 indiques	indic-aras/ases	hubieras indicado
3 indique	indic-ara/ase	hubiera indicado
1 indiquemos	indic-áramos/ásemos	hubiéramos indicado
2 indiquéis	indic-arais/aseis	hubierais indicado
3 indiquen	indic-aran/asen	hubieran indicado

PAS. COMP. haya indicado *etc.*

INFINITIF	*PARTICIPE*
PRESENT	**PRESENT**
indicar	indicando
PASSE	**PASSE**
haber indicado	indicado

PRESENT	**IMPARFAIT**	**FUTUR**
1 intento	intentaba	intentaré
2 intentas	intentabas	intentarás
3 intenta	intentaba	intentará
1 intentamos	intentábamos	intentaremos
2 intentáis	intentabais	intentaréis
3 intentan	intentaban	intentarán

PASSE SIMPLE	**PASSE COMPOSE**	**PLUS-QUE-PARFAIT**
1 intenté	he intentado	había intentado
2 intentaste	has intentado	habías intentado
3 intentó	ha intentado	había intentado
1 intentamos	hemos intentado	habíamos intentado
2 intentasteis	habéis intentado	habíais intentado
3 intentaron	han intentado	habían intentado

PASSE ANTERIEUR

hube intentado *etc*.

FUTUR ANTERIEUR

habré intentado *etc*.

CONDITIONNEL		*IMPERATIF*
PRESENT	**PASSE**	
1 intentaría	habría intentado	
2 intentarías	habrías intentado	(tú) intenta
3 intentaría	habría intentado	(Vd) intente
1 intentaríamos	habríamos intentado	(nosotros) intentemos
2 intentaríais	habríais intentado	(vosotros) intentad
3 intentarían	habrían intentado	(Vds) intenten

SUBJONCTIF		
PRESENT	**IMPARFAIT**	**PLUS-QUE-PARFAIT**
1 intente	intent-ara/ase	hubiera intentado
2 intentes	intent-aras/ases	hubieras intentado
3 intente	intent-ara/ase	hubiera intentado
1 intentemos	intent-áramos/ásemos	hubiéramos intentado
2 intentéis	intent-arais/aseis	hubierais intentado
3 intenten	intent-aran/asen	hubieran intentado

PAS. COMP. haya intentado *etc*.

INFINITIF	*PARTICIPE*
PRESENT	**PRESENT**
intentar	intentando
PASSE	**PASSE**
haber intentado	intentado

INTRODUCIR
introduire

PRESENT	IMPARFAIT	FUTUR
1 introduzco	introducía	introduciré
2 introduces	introducías	introducirás
3 introduce	introducía	introducirá
1 introducimos	introducíamos	introduciremos
2 introducís	introducíais	introduciréis
3 introducen	introducían	introducirán

PASSE SIMPLE	PASSE COMPOSE	PLUS-QUE-PARFAIT
1 introduje	he introducido	había introducido
2 introdujiste	has introducido	habías introducido
3 introdujo	ha introducido	había introducido
1 introdujimos	hemos introducido	habíamos introducido
2 introdujisteis	habéis introducido	habíais introducido
3 introdujeron	han introducido	habían introducido

PASSE ANTERIEUR
hube introducido *etc*.

FUTUR ANTERIEUR
habré introducido *etc*.

CONDITIONNEL

PRESENT	PASSE	IMPERATIF
1 introduciría	habría introducido	
2 introducirías	habrías introducido	(tú) introduce
3 introduciría	habría introducido	(Vd) introduzca
1 introduciríamos	habríamos introducido	(nosotros) introduzcamos
2 introduciríais	habríais introducido	(vosotros) introducid
3 introducirían	habrían introducido	(Vds) introduzcan

SUBJONCTIF

PRESENT	IMPARFAIT	PLUS-QUE-PARFAIT
1 introduzca	introduj-era/ese	hubiera introducido
2 introduzcas	introduj-eras/eses	hubieras introducido
3 introduzca	introduj-era/ese	hubiera introducido
1 introduzcamos	introduj-éramos/ésemos	hubiéramos introducido
2 introduzcáis	introduj-erais/eseis	hubierais introducido
3 introduzcan	introduj-eran/esen	hubieran introducido

PAS. COMP. haya introducido *etc*.

INFINITIF	PARTICIPE
PRESENT	PRESENT
introducir	introduciendo
PASSE	PASSE
haber introducido	introducido

PRESENT	**IMPARFAIT**	**FUTUR**
1 voy	iba	iré
2 vas	ibas	irás
3 va	iba	irá
1 vamos	íbamos	iremos
2 vais	ibais	iréis
3 van	iban	irán

PASSE SIMPLE	**PASSE COMPOSE**	**PLUS-QUE-PARFAIT**
1 fui	he ido	había ido
2 fuiste	has ido	habías ido
3 fue	ha ido	había ido
1 fuimos	hemos ido	habíamos ido
2 fuisteis	habéis ido	habíais ido
3 fueron	han ido	habían ido

PASSE ANTERIEUR

hube ido *etc.*

FUTUR ANTERIEUR

habré ido *etc.*

CONDITIONNEL

PRESENT	**PASSE**	*IMPERATIF*
1 iría	habría ido	
2 irías	habrías ido	(tú) ve
3 iría	habría ido	(Vd) vaya
1 iríamos	habríamos ido	(nosotros) vamos
2 iríais	habríais ido	(vosotros) id
3 irían	habrían ido	(Vds) vayan

SUBJONCTIF

PRESENT	**IMPARFAIT**	**PLUS-QUE-PARFAIT**
1 vaya	fu-era/ese	hubiera ido
2 vayas	fu-eras/eses	hubieras ido
3 vaya	fu-era/ese	hubiera ido
1 vayamos	fu-éramos/ésemos	hubiéramos ido
2 vayáis	fu-erais/eseis	hubierais ido
3 vayan	fu-eran/esen	hubieran ido

PAS. COMP. haya ido *etc.*

INFINITIF	*PARTICIPE*
PRESENT	**PRESENT**
ir	yendo
PASSE	**PASSE**
haber ido	ido

PRESENT	IMPARFAIT	FUTUR
1 juego	jugaba	jugaré
2 juegas	jugabas	jugarás
3 juega	jugaba	jugará
1 jugamos	jugábamos	jugaremos
2 jugáis	jugabais	jugaréis
3 juegan	jugaban	jugarán

PASSE SIMPLE	PASSE COMPOSE	PLUS-QUE-PARFAIT
1 jugué	he jugado	había jugado
2 jugaste	has jugado	habías jugado
3 jugó	ha jugado	había jugado
1 jugamos	hemos jugado	habíamos jugado
2 jugasteis	habéis jugado	habíais jugado
3 jugaron	han jugado	habían jugado

PASSE ANTERIEUR

hube jugado *etc.*

FUTUR ANTERIEUR

habré jugado *etc.*

CONDITIONNEL		*IMPERATIF*
PRESENT	**PASSE**	
1 jugaría	habría jugado	
2 jugarías	habrías jugado	(tú) juega
3 jugaría	habría jugado	(Vd) juegue
1 jugaríamos	habríamos jugado	(nosotros) juguemos
2 jugaríais	habríais jugado	(vosotros) jugad
3 jugarían	habrían jugado	(Vds) jueguen

SUBJONCTIF		
PRESENT	**IMPARFAIT**	**PLUS-QUE-PARFAIT**
1 juegue	jug-ara/ase	hubiera jugado
2 juegues	jug-aras/ases	hubieras jugado
3 juegue	jug-ara/ase	hubiera jugado
1 juguemos	jug-áramos/ásemos	hubiéramos jugado
2 juguéis	jug-arais/aseis	hubierais jugado
3 jueguen	jug-aran/asen	hubieran jugado

PAS. COMP. haya jugado *etc.*

INFINITIF	*PARTICIPE*
PRESENT	**PRESENT**
jugar	jugando
PASSE	**PASSE**
haber jugado	jugado

PRESENT	**IMPARFAIT**	**FUTUR**
1 juzgo	juzgaba	juzgaré
2 juzgas	juzgabas	juzgarás
3 juzga	juzgaba	juzgará
1 juzgamos	juzgábamos	juzgaremos
2 juzgáis	juzgabais	juzgaréis
3 juzgan	juzgaban	juzgarán

PASSE SIMPLE	**PASSE COMPOSE**	**PLUS-QUE-PARFAIT**
1 juzgué	he juzgado	había juzgado
2 juzgaste	has juzgado	habías juzgado
3 juzgó	ha juzgado	había juzgado
1 juzgamos	hemos juzgado	habíamos juzgado
2 juzgasteis	habéis juzgado	habíais juzgado
3 juzgaron	han juzgado	habían juzgado

PASSE ANTERIEUR

hube juzgado *etc.*

FUTUR ANTERIEUR

habré juzgado *etc.*

CONDITIONNEL		*IMPERATIF*
PRESENT	**PASSE**	
1 juzgaría	habría juzgado	
2 juzgarías	habrías juzgado	(tú) juzga
3 juzgaría	habría juzgado	(Vd) juzgue
1 juzgaríamos	habríamos juzgado	(nosotros) juzguemos
2 juzgaríais	habríais juzgado	(vosotros) juzgad
3 juzgarían	habrían juzgado	(Vds) juzguen

SUBJONCTIF		
PRESENT	**IMPARFAIT**	**PLUS-QUE-PARFAIT**
1 juzgue	juzg-ara/ase	hubiera juzgado
2 juzgues	juzg-aras/ases	hubieras juzgado
3 juzgue	juzg-ara/ase	hubiera juzgado
1 juzguemos	juzg-áramos/ásemos	hubiéramos juzgado
2 juzguéis	juzg-arais/aseis	hubierais juzgado
3 juzguen	juzg-aran/asen	hubieran juzgado

PAS. COMP. haya juzgado *etc.*

INFINITIF	*PARTICIPE*
PRESENT	**PRESENT**
juzgar	juzgando
PASSE	**PASSE**
haber juzgado	juzgado

124 LAVAR
laver

PRESENT	IMPARFAIT	FUTUR
1 lavo	lavaba	lavaré
2 lavas	lavabas	lavarás
3 lava	lavaba	lavará
1 lavamos	lavábamos	lavaremos
2 laváis	lavabais	lavaréis
3 lavan	lavaban	lavarán

PASSE SIMPLE	PASSE COMPOSE	PLUS-QUE-PARFAIT
1 lavé	he lavado	había lavado
2 lavaste	has lavado	habías lavado
3 lavó	ha lavado	había lavado
1 lavamos	hemos lavado	habíamos lavado
2 lavasteis	habéis lavado	habíais lavado
3 lavaron	han lavado	habían lavado

PASSE ANTERIEUR	FUTUR ANTERIEUR
hube lavado *etc.*	habré lavado *etc.*

CONDITIONNEL		*IMPERATIF*
PRESENT	**PASSE**	
1 lavaría	habría lavado	
2 lavarías	habrías lavado	(tú) lava
3 lavaría	habría lavado	(Vd) lave
1 lavaríamos	habríamos lavado	(nosotros) lavemos
2 lavaríais	habríais lavado	(vosotros) lavad
3 lavarían	habrían lavado	(Vds) laven

SUBJONCTIF		
PRESENT	**IMPARFAIT**	**PLUS-QUE-PARFAIT**
1 lave	lav-ara/ase	hubiera lavado
2 laves	lav-aras/ases	hubieras lavado
3 lave	lav-ara/ase	hubiera lavado
1 lavemos	lav-áramos/ásemos	hubiéramos lavado
2 lavéis	lav-arais/aseis	hubierais lavado
3 laven	lav-aran/asen	hubieran lavado

PAS. COMP. haya lavado *etc.*

INFINITIF	*PARTICIPE*
PRESENT	**PRESENT**
lavar	lavando
PASSE	**PASSE**
haber lavado	lavado

	PRESENT	**IMPARFAIT**	**FUTUR**
1	leo	leía	leeré
2	lees	leías	leerás
3	lee	leía	leerá
1	leemos	leíamos	leeremos
2	leéis	leíais	leeréis
3	leen	leían	leerán

	PASSE SIMPLE	**PASSE COMPOSE**	**PLUS-QUE-PARFAIT**
1	leí	he leído	había leído
2	leíste	has leído	habías leído
3	leyó	ha leído	había leído
1	leímos	hemos leído	habíamos leído
2	leísteis	habéis leído	habíais leído
3	leyeron	han leído	habían leído

PASSE ANTERIEUR

hube leído *etc.*

FUTUR ANTERIEUR

habré leído *etc.*

CONDITIONNEL

	PRESENT	**PASSE**	*IMPERATIF*
1	leería	habría leído	
2	leerías	habrías leído	(tú) lee
3	leería	habría leído	(Vd) lea
1	leeríamos	habríamos leído	(nosotros) leamos
2	leeríais	habríais leído	(vosotros) leed
3	leerían	habrían leído	(Vds) lean

SUBJONCTIF

	PRESENT	**IMPARFAIT**	**PLUS-QUE-PARFAIT**
1	lea	le-yera/yese	hubiera leído
2	leas	le-yeras/yeses	hubieras leído
3	lea	le-yera/yese	hubiera leído
1	leamos	le-yéramos/yésemos	hubiéramos leído
2	leáis	le-yerais/yeseis	hubierais leído
3	lean	le-yeran/yesen	hubieran leído

PAS. COMP. haya leído *etc.*

INFINITIF	*PARTICIPE*
PRESENT	**PRESENT**
leer	leyendo
PASSE	**PASSE**
haber leído	leído

LUCIR
briller

PRESENT	IMPARFAIT	FUTUR
1 luzco	lucía	luciré
2 luces	lucías	lucirás
3 luce	lucía	lucirá
1 lucimos	lucíamos	luciremos
2 lucís	lucíais	luciréis
3 lucen	lucían	lucirán

PASSE SIMPLE	PASSE COMPOSE	PLUS-QUE-PARFAIT
1 lucí	he lucido	había lucido
2 luciste	has lucido	habías lucido
3 lució	ha lucido	había lucido
1 lucimos	hemos lucido	habíamos lucido
2 lucisteis	habéis lucido	habíais lucido
3 lucieron	han lucido	habían lucido

PASSE ANTERIEUR

hube lucido *etc.*

FUTUR ANTERIEUR

habré lucido *etc.*

CONDITIONNEL		*IMPERATIF*
PRESENT	**PASSE**	
1 luciría	habría lucido	
2 lucirías	habrías lucido	(tú) luce
3 luciría	habría lucido	(Vd) luzca
1 luciríamos	habríamos lucido	(nosotros) luzcamos
2 luciríais	habríais lucido	(vosotros) lucid
3 lucirían	habrían lucido	(Vds) luzcan

SUBJONCTIF

PRESENT	IMPARFAIT	PLUS-QUE-PARFAIT
1 luzca	luc-iera/iese	hubiera lucido
2 luzcas	luc-ieras/ieses	hubieras lucido
3 luzca	luc-iera/iese	hubiera lucido
1 luzcamos	luc-iéramos/iésemos	hubiéramos lucido
2 luzcáis	luc-ierais/ieseis	hubierais lucido
3 luzcan	luc-ieran/iesen	hubieran lucido

PAS. COMP. haya lucido *etc.*

INFINITIF	*PARTICIPE*
PRESENT	**PRESENT**
lucir	luciendo
PASSE	**PASSE**
haber lucido	lucido

PRESENT	**IMPARFAIT**	**FUTUR**
1 llamo	llamaba	llamaré
2 llamas	llamabas	llamarás
3 llama	llamaba	llamará
1 llamamos	llamábamos	llamaremos
2 llamáis	llamabais	llamaréis
3 llaman	llamaban	llamarán

PASSE SIMPLE	**PASSE COMPOSE**	**PLUS-QUE-PARFAIT**
1 llamé	he llamado	había llamado
2 llamaste	has llamado	habías llamado
3 llamó	ha llamado	había llamado
1 llamamos	hemos llamado	habíamos llamado
2 llamasteis	habéis llamado	habíais llamado
3 llamaron	han llamado	habían llamado

PASSE ANTERIEUR	**FUTUR ANTERIEUR**
hube llamado *etc.*	habré llamado *etc.*

CONDITIONNEL		*IMPERATIF*
PRESENT	**PASSE**	
1 llamaría	habría llamado	
2 llamarías	habrías llamado	(tú) llama
3 llamaría	habría llamado	(Vd) llame
1 llamaríamos	habríamos llamado	(nosotros) llamemos
2 llamaríais	habríais llamado	(vosotros) llamad
3 llamarían	habrían llamado	(Vds) llamen

SUBJONCTIF		
PRESENT	**IMPARFAIT**	**PLUS-QUE-PARFAIT**
1 llame	llam-ara/ase	hubiera llamado
2 llames	llam-aras/ases	hubieras llamado
3 llame	llam-ara/ase	hubiera llamado
1 llamemos	llam-áramos/ásemos	hubiéramos llamado
2 llaméis	llam-arais/aseis	hubierais llamado
3 llamen	llam-aran/asen	hubieran llamado

PAS. COMP. haya llamado *etc.*

INFINITIF	*PARTICIPE*
PRESENT	**PRESENT**
llamar	llamando
PASSE	**PASSE**
haber llamado	llamado

128 LLEGAR

arriver

PRESENT	**IMPARFAIT**	**FUTUR**
1 llego	llegaba	llegaré
2 llegas	llegabas	llegarás
3 llega	llegaba	llegará
1 llegamos	llegábamos	llegaremos
2 llegáis	llegabais	llegaréis
3 llegan	llegaban	llegarán

PASSE SIMPLE	**PASSE COMPOSE**	**PLUS-QUE-PARFAIT**
1 llegué	he llegado	había llegado
2 llegaste	has llegado	habías llegado
3 llegó	ha llegado	había llegado
1 llegamos	hemos llegado	habíamos llegado
2 llegasteis	habéis llegado	habíais llegado
3 llegaron	han llegado	habían llegado

PASSE ANTERIEUR

hube llegado *etc.*

FUTUR ANTERIEUR

habré llegado *etc.*

CONDITIONNEL

PRESENT	**PASSE**	*IMPERATIF*
1 llegaría	habría llegado	
2 llegarías	habrías llegado	(tú) llega
3 llegaría	habría llegado	(Vd) llegue
1 llegaríamos	habríamos llegado	(nosotros) lleguemos
2 llegaríais	habríais llegado	(vosotros) llegad
3 llegarían	habrían llegado	(Vds) lleguen

SUBJONCTIF

PRESENT	**IMPARFAIT**	**PLUS-QUE-PARFAIT**
1 llegue	lleg-ara/ase	hubiera llegado
2 llegues	lleg-aras/ases	hubieras llegado
3 llegue	lleg-ara/ase	hubiera llegado
1 lleguemos	lleg-áramos/ásemos	hubiéramos llegado
2 lleguéis	lleg-arais/aseis	hubierais llegado
3 lleguen	lleg-aran/asen	hubieran llegado

PAS. COMP. haya llegado *etc.*

INFINITIF	*PARTICIPE*
PRESENT	**PRESENT**
llegar	llegando
PASSE	**PASSE**
haber llegado	llegado

PRESENT	IMPARFAIT	FUTUR
3 llueve	llovía	lloverá

PASSE SIMPLE	PASSE COMPOSE	PLUS-QUE-PARFAIT
3 llovió	ha llovido	había llovido

PASSE ANTERIEUR	FUTUR ANTERIEUR
hubo llovido	habrá llovido

CONDITIONNEL PRESENT	PASSE	*IMPERATIF*
3 llovería	habría llovido	

SUBJONCTIF PRESENT	IMPARFAIT	PLUS-QUE-PARFAIT
3 llueva	llov-iera/iese	hubiera llovido

PAS. COMP. haya llovido

INFINITIF PRESENT	*PARTICIPE* PRESENT
llover	lloviendo
PASSE	**PASSE**
haber llovido	llovido

130 MENTIR
mentir

PRESENT	IMPARFAIT	FUTUR
1 miento	mentía	mentiré
2 mientes	mentías	mentirás
3 miente	mentía	mentirá
1 mentimos	mentíamos	mentiremos
2 mentís	mentíais	mentiréis
3 mienten	mentían	mentirán

PASSE SIMPLE	PASSE COMPOSE	PLUS-QUE-PARFAIT
1 mentí	he mentido	había mentido
2 mentiste	has mentido	habías mentido
3 mintió	ha mentido	había mentido
1 mentimos	hemos mentido	habíamos mentido
2 mentisteis	habéis mentido	habíais mentido
3 mintieron	han mentido	habían mentido

PASSE ANTERIEUR	FUTUR ANTERIEUR
hube mentido *etc*.	habré mentido *etc*.

CONDITIONNEL

PRESENT	PASSE	*IMPERATIF*
1 mentiría	habría mentido	
2 mentirías	habrías mentido	(tú) miente
3 mentiría	habría mentido	(Vd) mienta
1 mentiríamos	habríamos mentido	(nosotros) mintamos
2 mentiríais	habríais mentido	(vosotros) mentid
3 mentirían	habrían mentido	(Vds) mientan

SUBJONCTIF

PRESENT	IMPARFAIT	PLUS-QUE-PARFAIT
1 mienta	mint-iera/iese	hubiera mentido
2 mientas	mint-ieras/ieses	hubieras mentido
3 mienta	mint-iera/iese	hubiera mentido
1 mintamos	mint-iéramos/iésemos	hubiéramos mentido
2 mintáis	mint-ierais/ieseis	hubierais mentido
3 mientan	mint-ieran/iesen	hubieran mentido

PAS. COMP. haya mentido *etc*.

INFINITIF	*PARTICIPE*
PRESENT	PRESENT
mentir	mintiendo
PASSE	PASSE
haber mentido	mentido

PRESENT

1 merezco
2 mereces
3 merece
1 merecemos
2 merecéis
3 merecen

IMPARFAIT

merecía
merecías
merecía
merecíamos
merecíais
merecían

FUTUR

mereceré
merecerás
merecerá
mereceremos
mereceréis
merecerán

PASSE SIMPLE

1 merecí
2 mereciste
3 mereció
1 merecimos
2 merecisteis
3 merecieron

PASSE COMPOSE

he merecido
has merecido
ha merecido
hemos merecido
habéis merecido
han merecido

PLUS-QUE-PARFAIT

había merecido
habías merecido
había merecido
habíamos merecido
habíais merecido
habían merecido

PASSE ANTERIEUR

hube merecido *etc.*

FUTUR ANTERIEUR

habré merecido *etc.*

CONDITIONNEL
PRESENT

1 merecería
2 merecerías
3 merecería
1 mereceríamos
2 mereceríais
3 merecerían

PASSE

habría merecido
habrías merecido
habría merecido
habríamos merecido
habríais merecido
habrían merecido

IMPERATIF

(tú) merece
(Vd) merezca
(nosotros) merezcamos
(vosotros) mereced
(Vds) merezcan

SUBJONCTIF
PRESENT

1 merezca
2 merezcas
3 merezca
1 merezcamos
2 merezcáis
3 merezcan

IMPARFAIT

merec-iera/iese
merec-ieras/ieses
merec-iera/iese
merec-iéramos/iésemos
merec-ierais/ieseis
merec-ieran/iesen

PLUS-QUE-PARFAIT

hubiera merecido
hubieras merecido
hubiera merecido
hubiéramos merecido
hubierais merecido
hubieran merecido

PAS. COMP. haya merecido *etc.*

INFINITIF
PRESENT

merecer

PASSE

haber merecido

PARTICIPE
PRESENT

mereciendo

PASSE

merecido

132 MORDER
mordre

PRESENT	IMPARFAIT	FUTUR
1 muerdo	mordía	morderé
2 muerdes	mordías	morderás
3 muerde	mordía	morderá
1 mordemos	mordíamos	morderemos
2 mordéis	mordíais	morderéis
3 muerden	mordían	morderán

PASSE SIMPLE	PASSE COMPOSE	PLUS-QUE-PARFAIT
1 mordí	he mordido	había mordido
2 mordiste	has mordido	habías mordido
3 mordió	ha mordido	había mordido
1 mordimos	hemos mordido	habíamos mordido
2 mordisteis	habéis mordido	habíais mordido
3 mordieron	han mordido	habían mordido

PASSE ANTERIEUR
hube mordido *etc.*

FUTUR ANTERIEUR
habré mordido *etc.*

CONDITIONNEL

PRESENT	PASSE	*IMPERATIF*
1 mordería	habría mordido	
2 morderías	habrías mordido	(tú) muerde
3 mordería	habría mordido	(Vd) muerda
1 morderíamos	habríamos mordido	(nosotros) mordamos
2 morderíais	habríais mordido	(vosotros) morded
3 morderían	habrían mordido	(Vds) muerdan

SUBJONCTIF

PRESENT	IMPARFAIT	PLUS-QUE-PARFAIT
1 muerda	mord-iera/iese	hubiera mordido
2 muerdas	mord-ieras/ieses	hubieras mordido
3 muerda	mord-iera/iese	hubiera mordido
1 mordamos	mord-iéramos/iésemos	hubiéramos mordido
2 mordáis	mord-ierais/ieseis	hubierais mordido
3 muerdan	mord-ieran/iesen	hubieran mordido

PAS. COMP. haya mordido *etc.*

INFINITIF	*PARTICIPE*
PRESENT	**PRESENT**
morder	mordiendo
PASSE	**PASSE**
haber mordido	mordido

PRESENT	**IMPARFAIT**	**FUTUR**
1 muero	moría	moriré
2 mueres	morías	morirás
3 muere	moría	morirá
1 morimos	moríamos	moriremos
2 morís	moríais	moriréis
3 mueren	morían	morirán

PASSE SIMPLE	**PASSE COMPOSE**	**PLUS-QUE-PARFAIT**
1 morí	he muerto	había muerto
2 moriste	has muerto	habías muerto
3 murió	ha muerto	había muerto
1 morimos	hemos muerto	habíamos muerto
2 moristeis	habéis muerto	habíais muerto
3 murieron	han muerto	habían muerto

PASSE ANTERIEUR

hube muerto *etc.*

FUTUR ANTERIEUR

habré muerto *etc.*

CONDITIONNEL		*IMPERATIF*
PRESENT	**PASSE**	
1 moriría	habría muerto	
2 morirías	habrías muerto	(tú) muere
3 moriría	habría muerto	(Vd) muera
1 moriríamos	habríamos muerto	(nosotros) muramos
2 moriríais	habríais muerto	(vosotros) morid
3 morirían	habrían muerto	(Vds) mueran

SUBJONCTIF		
PRESENT	**IMPARFAIT**	**PLUS-QUE-PARFAIT**
1 muera	mur-iera/iese	hubiera muerto
2 mueras	mur-ieras/ieses	hubieras muerto
3 muera	mur-iera/iese	hubiera muerto
1 muramos	mur-iéramos/iésemos	hubiéramos muerto
2 muráis	mur-ierais/ieseis	hubierais muerto
3 mueran	mur-ieran/iesen	hubieran muerto

PAS. COMP. haya muerto *etc.*

INFINITIF	*PARTICIPE*
PRESENT	**PRESENT**
morir	muriendo
PASSE	**PASSE**
haber muerto	muerto

134 MOVER
remuer, faire marcher

PRESENT	IMPARFAIT	FUTUR
1 muevo	movía	moveré
2 mueves	movías	moverás
3 mueve	movía	moverá
1 movemos	movíamos	moveremos
2 movéis	movíais	moveréis
3 mueven	movían	moverán

PASSE SIMPLE	PASSE COMPOSE	PLUS-QUE-PARFAIT
1 moví	he movido	había movido
2 moviste	has movido	habías movido
3 movió	ha movido	había movido
1 movimos	hemos movido	habíamos movido
2 movisteis	habéis movido	habíais movido
3 movieron	han movido	habían movido

PASSE ANTERIEUR	FUTUR ANTERIEUR
hube movido *etc.*	habré movido *etc.*

CONDITIONNEL		*IMPERATIF*
PRESENT	**PASSE**	
1 movería	habría movido	
2 moverías	habrías movido	(tú) mueve
3 movería	habría movido	(Vd) mueva
1 moveríamos	habríamos movido	(nosotros) movamos
2 moveríais	habríais movido	(vosotros) moved
3 moverían	habrían movido	(Vds) muevan

SUBJONCTIF

PRESENT	IMPARFAIT	PLUS-QUE-PARFAIT
1 mueva	mov-iera/iese	hubiera movido
2 muevas	mov-ieras/ieses	hubieras movido
3 mueva	mov-iera/iese	hubiera movido
1 movamos	mov-iéramos/iésemos	hubiéramos movido
2 mováis	mov-ierais/ieseis	hubierais movido
3 muevan	mov-ieran/iesen	hubieran movido

PAS. COMP. haya movido *etc.*

INFINITIF	*PARTICIPE*
PRESENT	**PRESENT**
mover	moviendo
PASSE	**PASSE**
haber movido	movido

	PRESENT	**IMPARFAIT**	**FUTUR**
1	nazco	nacía	naceré
2	naces	nacías	nacerás
3	nace	nacía	nacerá
1	nacemos	nacíamos	naceremos
2	nacéis	nacíais	naceréis
3	nacen	nacían	nacerán

	PASSE SIMPLE	**PASSE COMPOSE**	**PLUS-QUE-PARFAIT**
1	nací	he nacido	había nacido
2	naciste	has nacido	habías nacido
3	nació	ha nacido	había nacido
1	nacimos	hemos nacido	habíamos nacido
2	nacisteis	habéis nacido	habíais nacido
3	nacieron	han nacido	habían nacido

PASSE ANTERIEUR

hube nacido *etc.*

FUTUR ANTERIEUR

habré nacido *etc.*

CONDITIONNEL

	PRESENT	**PASSE**	*IMPERATIF*
1	nacería	habría nacido	
2	nacerías	habrías nacido	(tú) nace
3	nacería	habría nacido	(Vd) nazca
1	naceríamos	habríamos nacido	(nosotros) nazcamos
2	naceríais	habríais nacido	(vosotros) naced
3	nacerían	habrían nacido	(Vds) nazcan

SUBJONCTIF

	PRESENT	**IMPARFAIT**	**PLUS-QUE-PARFAIT**
1	nazca	nac-iera/iese	hubiera nacido
2	nazcas	nac-ieras/ieses	hubieras nacido
3	nazca	nac-iera/iese	hubiera nacido
1	nazcamos	nac-iéramos/iésemos	hubiéramos nacido
2	nazcáis	nac-ierais/ieseis	hubierais nacido
3	nazcan	nac-ieran/iesen	hubieran nacido

PAS. COMP. haya nacido *etc.*

INFINITIF	*PARTICIPE*
PRESENT	**PRESENT**
nacer	naciendo
PASSE	**PASSE**
haber nacido	nacido

PRESENT	**IMPARFAIT**	**FUTUR**
1 nado	nadaba	nadaré
2 nadas	nadabas	nadarás
3 nada	nadaba	nadará
1 nadamos	nadábamos	nadaremos
2 nadáis	nadabais	nadaréis
3 nadan	nadaban	nadarán

PASSE SIMPLE	**PASSE COMPOSE**	**PLUS-QUE-PARFAIT**
1 nadé	he nadado	había nadado
2 nadaste	has nadado	habías nadado
3 nadó	ha nadado	había nadado
1 nadamos	hemos nadado	habíamos nadado
2 nadasteis	habéis nadado	habíais nadado
3 nadaron	han nadado	habían nadado

PASSE ANTERIEUR	**FUTUR ANTERIEUR**
hube nadado *etc.*	habré nadado *etc.*

CONDITIONNEL		*IMPERATIF*
PRESENT	**PASSE**	
1 nadaría	habría nadado	
2 nadarías	habrías nadado	(tú) nada
3 nadaría	habría nadado	(Vd) nade
1 nadaríamos	habríamos nadado	(nosotros) nademos
2 nadaríais	habríais nadado	(vosotros) nadad
3 nadarían	habrían nadado	(Vds) naden

SUBJONCTIF		
PRESENT	**IMPARFAIT**	**PLUS-QUE-PARFAIT**
1 nade	nad-ara/ase	hubiera nadado
2 nades	nad-aras/ases	hubieras nadado
3 nade	nad-ara/ase	hubiera nadado
1 nademos	nad-áramos/ásemos	hubiéramos nadado
2 nadéis	nad-arais/aseis	hubierais nadado
3 naden	nad-aran/asen	hubieran nadado

PAS. COMP. haya nadado *etc.*

INFINITIF	*PARTICIPE*
PRESENT	**PRESENT**
nadar	nadando
PASSE	**PASSE**
haber nadado	nadado

PRESENT	**IMPARFAIT**	**FUTUR**
1 necesito	necesitaba	necesitaré
2 necesitas	necesitabas	necesitarás
3 necesita	necesitaba	necesitará
1 necesitamos	necesitábamos	necesitaremos
2 necesitáis	necesitabais	necesitaréis
3 necesitan	necesitaban	necesitarán

PASSE SIMPLE	**PASSE COMPOSE**	**PLUS-QUE-PARFAIT**
1 necesité	he necesitado	había necesitado
2 necesitaste	has necesitado	habías necesitado
3 necesitó	ha necesitado	había necesitado
1 necesitamos	hemos necesitado	habíamos necesitado
2 necesitasteis	habéis necesitado	habíais necesitado
3 necesitaron	han necesitado	habían necesitado

PASSE ANTERIEUR

hube necesitado *etc.*

FUTUR ANTERIEUR

habré necesitado *etc.*

CONDITIONNEL		*IMPERATIF*
PRESENT	**PASSE**	
1 necesitaría	habría necesitado	
2 necesitarías	habrías necesitado	(tú) necesita
3 necesitaría	habría necesitado	(Vd) necesite
1 necesitaríamos	habríamos necesitado	(nosotros) necesitemos
2 necesitaríais	habríais necesitado	(vosotros) necesitad
3 necesitarían	habrían necesitado	(Vds) necesiten

SUBJONCTIF		
PRESENT	**IMPARFAIT**	**PLUS-QUE-PARFAIT**
1 necesite	necesit-ara/ase	hubiera necesitado
2 necesites	necesit-aras/ases	hubieras necesitado
3 necesite	necesit-ara/ase	hubiera necesitado
1 necesitemos	necesit-áramos/ásemos	hubiéramos necesitado
2 necesitéis	necesit-arais/aseis	hubierais necesitado
3 necesiten	necesit-aran/asen	hubieran necesitado

PAS. COMP. haya necesitado *etc.*

INFINITIF	*PARTICIPE*
PRESENT	**PRESENT**
necesitar	necesitando
PASSE	**PASSE**
haber necesitado	necesitado

PRESENT	IMPARFAIT	FUTUR
1 niego	negaba	negaré
2 niegas	negabas	negarás
3 niega	negaba	negará
1 negamos	negábamos	negaremos
2 negáis	negabais	negaréis
3 niegan	negaban	negarán

PASSE SIMPLE	PASSE COMPOSE	PLUS-QUE-PARFAIT
1 negué	he negado	había negado
2 negaste	has negado	habías negado
3 negó	ha negado	había negado
1 negamos	hemos negado	habíamos negado
2 negasteis	habéis negado	habíais negado
3 negaron	han negado	habían negado

PASSE ANTERIEUR

hube negado *etc.*

FUTUR ANTERIEUR

habré negado *etc.*

CONDITIONNEL		*IMPERATIF*
PRESENT	**PASSE**	
1 negaría	habría negado	
2 negarías	habrías negado	(tú) niega
3 negaría	habría negado	(Vd) niegue
1 negaríamos	habríamos negado	(nosotros) neguemos
2 negaríais	habríais negado	(vosotros) negad
3 negarían	habrían negado	(Vds) nieguen

SUBJONCTIF

PRESENT	IMPARFAIT	PLUS-QUE-PARFAIT
1 niegue	neg-ara/ase	hubiera negado
2 niegues	neg-aras/ases	hubieras negado
3 niegue	neg-ara/ase	hubiera negado
1 neguemos	neg-áramos/ásemos	hubiéramos negado
2 neguéis	neg-arais/aseis	hubierais negado
3 nieguen	neg-aran/asen	hubieran negado

PAS. COMP. haya negado *etc.*

INFINITIF	*PARTICIPE*
PRESENT	**PRESENT**
negar	negando
PASSE	**PASSE**
haber negado	negado

PRESENT	IMPARFAIT	FUTUR
3 nieva	nevaba	nevará

PASSE SIMPLE	PASSE COMPOSE	PLUS-QUE-PARFAIT
3 nevó	ha nevado	había nevado

PASSE ANTERIEUR	FUTUR ANTERIEUR
hubo nevado	habrá nevado

| *CONDITIONNEL* | | *IMPERATIF* |
PRESENT	PASSE	
3 nevaría	habría nevado	

| *SUBJONCTIF* | | |
PRESENT	IMPARFAIT	PLUS-QUE-PARFAIT
3 nieve	nev-ara/ase	hubiera nevado

PAS. COMP. haya nevado

| *INFINITIF* | *PARTICIPE* |
PRESENT	PRESENT
nevar	nevando
PASSE	**PASSE**
haber nevado	nevado

PRESENT	IMPARFAIT	FUTUR
1 obedezco	obedecía	obedeceré
2 obedeces	obedecías	obedecerás
3 obedece	obedecía	obedecerá
1 obedecemos	obedecíamos	obedeceremos
2 obedecéis	obedecíais	obedeceréis
3 obedecen	obedecían	obedecerán

PASSE SIMPLE	PASSE COMPOSE	PLUS-QUE-PARFAIT
1 obedecí	he obedecido	había obedecido
2 obedeciste	has obedecido	habías obedecido
3 obedeció	ha obedecido	había obedecido
1 obedecimos	hemos obedecido	habíamos obedecido
2 obedecisteis	habéis obedecido	habíais obedecido
3 obedecieron	han obedecido	habían obedecido

PASSE ANTERIEUR

hube obedecido *etc.*

FUTUR ANTERIEUR

habré obedecido *etc.*

CONDITIONNEL

PRESENT	PASSE	*IMPERATIF*
1 obedecería	habría obedecido	
2 obedecerías	habrías obedecido	(tú) obedece
3 obedecería	habría obedecido	(Vd) obedezca
1 obedeceríamos	habríamos obedecido	(nosotros) obedezcamos
2 obedeceríais	habríais obedecido	(vosotros) obedeced
3 obedecerían	habrían obedecido	(Vds) obedezcan

SUBJONCTIF

PRESENT	IMPARFAIT	PLUS-QUE-PARFAIT
1 obedezca	obedec-iera/iese	hubiera obedecido
2 obedezcas	obedec-ieras/ieses	hubieras obedecido
3 obedezca	obedec-iera/iese	hubiera obedecido
1 obedezcamos	obedec-iéramos/iésemos	hubiéramos obedecido
2 obedezcáis	obedec-ierais/ieseis	hubierais obedecido
3 obedezcan	obedec-ieran/iesen	hubieran obedecido

PAS. COMP. haya obedecido *etc.*

INFINITIF	*PARTICIPE*
PRESENT	PRESENT
obedecer	obedeciendo
PASSE	PASSE
haber obedecido	obedecido

PRESENT	**IMPARFAIT**	**FUTUR**
1 obligo	obligaba	obligaré
2 obligas	obligabas	obligarás
3 obliga	obligaba	obligará
1 obligamos	obligábamos	obligaremos
2 obligáis	obligabais	obligaréis
3 obligan	obligaban	obligarán

PASSE SIMPLE	**PASSE COMPOSE**	**PLUS-QUE-PARFAIT**
1 obligué	he obligado	había obligado
2 obligaste	has obligado	habías obligado
3 obligó	ha obligado	había obligado
1 obligamos	hemos obligado	habíamos obligado
2 obligasteis	habéis obligado	habíais obligado
3 obligaron	han obligado	habían obligado

PASSE ANTERIEUR	**FUTUR ANTERIEUR**
hube obligado *etc.*	habré obligado *etc.*

CONDITIONNEL		*IMPERATIF*
PRESENT	**PASSE**	
1 obligaría	habría obligado	
2 obligarías	habrías obligado	(tú) obliga
3 obligaría	habría obligado	(Vd) obligue
1 obligaríamos	habríamos obligado	(nosotros) obliguemos
2 obligaríais	habríais obligado	(vosotros) obligad
3 obligarían	habrían obligado	(Vds) obliguen

SUBJONCTIF		
PRESENT	**IMPARFAIT**	**PLUS-QUE-PARFAIT**
1 obligue	oblig-ara/ase	hubiera obligado
2 obligues	oblig-aras/ases	hubieras obligado
3 obligue	oblig-ara/ase	hubiera obligado
1 obliguemos	oblig-áramos/ásemos	hubiéramos obligado
2 obliguéis	oblig-arais/aseis	hubierais obligado
3 obliguen	oblig-aran/asen	hubieran obligado

PAS. COMP. haya obligado *etc.*

INFINITIF	*PARTICIPE*
PRESENT	**PRESENT**
obligar	obligando
PASSE	**PASSE**
haber obligado	obligado

PRESENT	IMPARFAIT	FUTUR
1 ofrezco	ofrecía	ofreceré
2 ofreces	ofrecías	ofrecerás
3 ofrece	ofrecía	ofrecerá
1 ofrecemos	ofrecíamos	ofreceremos
2 ofrecéis	ofrecíais	ofreceréis
3 ofrecen	ofrecían	ofrecerán

PASSE SIMPLE	PASSE COMPOSE	PLUS-QUE-PARFAIT
1 ofrecí	he ofrecido	había ofrecido
2 ofreciste	has ofrecido	habías ofrecido
3 ofreció	ha ofrecido	había ofrecido
1 ofrecimos	hemos ofrecido	habíamos ofrecido
2 ofrecisteis	habéis ofrecido	habíais ofrecido
3 ofrecieron	han ofrecido	habían ofrecido

PASSE ANTERIEUR

hube ofrecido *etc.*

FUTUR ANTERIEUR

habré ofrecido *etc.*

CONDITIONNEL

PRESENT	PASSE	IMPERATIF
1 ofrecería	habría ofrecido	
2 ofrecerías	habrías ofrecido	(tú) ofrece
3 ofrecería	habría ofrecido	(Vd) ofrezca
1 ofreceríamos	habríamos ofrecido	(nosotros) ofrezcamos
2 ofreceríais	habríais ofrecido	(vosotros) ofreced
3 ofrecerían	habrían ofrecido	(Vds) ofrezcan

SUBJONCTIF

PRESENT	IMPARFAIT	PLUS-QUE-PARFAIT
1 ofrezca	ofrec-iera/iese	hubiera ofrecido
2 ofrezcas	ofrec-ieras/ieses	hubieras ofrecido
3 ofrezca	ofrec-iera/iese	hubiera ofrecido
1 ofrezcamos	ofrec-iéramos/iésemos	hubiéramos ofrecido
2 ofrezcáis	ofrec-ierais/ieseis	hubierais ofrecido
3 ofrezcan	ofrec-ieran/iesen	hubieran ofrecido

PAS. COMP. haya ofrecido *etc.*

INFINITIF	*PARTICIPE*
PRESENT	**PRESENT**
ofrecer	ofreciendo
PASSE	**PASSE**
haber ofrecido	ofrecido

PRESENT	**IMPARFAIT**	**FUTUR**
1 oigo	oía	oiré
2 oyes	oías	oirás
3 oye	oía	oirá
1 oímos	oíamos	oiremos
2 oís	oíais	oiréis
3 oyen	oían	oirán

PASSE SIMPLE	**PASSE COMPOSE**	**PLUS-QUE-PARFAIT**
1 oí	he oído	había oído
2 oíste	has oído	habías oído
3 oyó	ha oído	había oído
1 oímos	hemos oído	habíamos oído
2 oísteis	habéis oído	habíais oído
3 oyeron	han oído	habían oído

PASSE ANTERIEUR

hube oído *etc.*

FUTUR ANTERIEUR

habré oído *etc.*

CONDITIONNEL		*IMPERATIF*
PRESENT	**PASSE**	
1 oiría	habría oído	
2 oirías	habrías oído	(tú) oye
3 oiría	habría oído	(Vd) oiga
1 oiríamos	habríamos oído	(nosotros) oigamos
2 oiríais	habríais oído	(vosotros) oíd
3 oirían	habrían oído	(Vds) oigan

SUBJONCTIF		
PRESENT	**IMPARFAIT**	**PLUS-QUE-PARFAIT**
1 oiga	o-yera/yese	hubiera oído
2 oigas	o-yeras/yeses	hubieras oído
3 oiga	o-yera/yese	hubiera oído
1 oigamos	o-yéramos/yésemos	hubiéramos oído
2 oigáis	o-yerais/yeseis	hubierais oído
3 oigan	o-yeran/yesen	hubieran oído

PAS. COMP. haya oído *etc.*

INFINITIF	*PARTICIPE*
PRESENT	**PRESENT**
oír	oyendo
PASSE	**PASSE**
haber oído	oído

144 OLER
sentir

PRESENT	IMPARFAIT	FUTUR
1 huelo	olía	oleré
2 hueles	olías	olerás
3 huele	olía	olerá
1 olemos	olíamos	oleremos
2 oléis	olíais	oleréis
3 huelen	olían	olerán

PASSE SIMPLE	PASSE COMPOSE	PLUS-QUE-PARFAIT
1 olí	he olido	había olido
2 oliste	has olido	habías olido
3 olió	ha olido	había olido
1 olimos	hemos olido	habíamos olido
2 olisteis	habéis olido	habíais olido
3 olieron	han olido	habían olido

PASSE ANTERIEUR

hube olido *etc.*

FUTUR ANTERIEUR

habré olido *etc.*

CONDITIONNEL

PRESENT	PASSE	IMPERATIF
1 olería	habría olido	
2 olerías	habrías olido	(tú) huele
3 olería	habría olido	(Vd) huela
1 oleríamos	habríamos olido	(nosotros) olamos
2 oleríais	habríais olido	(vosotros) oled
3 olerían	habrían olido	(Vds) huelan

SUBJONCTIF

PRESENT	IMPARFAIT	PLUS-QUE-PARFAIT
1 huela	ol-iera/iese	hubiera olido
2 huelas	ol-ieras/ieses	hubieras olido
3 huela	ol-iera/iese	hubiera olido
1 olamos	ol-iéramos/iésemos	hubiéramos olido
2 oláis	ol-ierais/ieseis	hubierais olido
3 huelan	ol-ieran/iesen	hubieran olido

PAS. COMP. haya olido *etc.*

INFINITIF	*PARTICIPE*
PRESENT	PRESENT
oler	oliendo
PASSE	PASSE
haber olido	olido

PRESENT	IMPARFAIT	FUTUR
1 pago	pagaba	pagaré
2 pagas	pagabas	pagarás
3 paga	pagaba	pagará
1 pagamos	pagábamos	pagaremos
2 pagáis	pagabais	pagaréis
3 pagan	pagaban	pagarán

PASSE SIMPLE	PASSE COMPOSE	PLUS-QUE-PARFAIT
1 pagué	he pagado	había pagado
2 pagaste	has pagado	habías pagado
3 pagó	ha pagado	había pagado
1 pagamos	hemos pagado	habíamos pagado
2 pagasteis	habéis pagado	habíais pagado
3 pagaron	han pagado	habían pagado

PASSE ANTERIEUR	FUTUR ANTERIEUR
hube pagado *etc*.	habré pagado *etc*.

CONDITIONNEL		*IMPERATIF*
PRESENT	**PASSE**	
1 pagaría	habría pagado	
2 pagarías	habrías pagado	(tú) paga
3 pagaría	habría pagado	(Vd) pague
1 pagaríamos	habríamos pagado	(nosotros) paguemos
2 pagaríais	habríais pagado	(vosotros) pagad
3 pagarían	habrían pagado	(Vds) paguen

SUBJONCTIF		
PRESENT	**IMPARFAIT**	**PLUS-QUE-PARFAIT**
1 pague	pag-ara/ase	hubiera pagado
2 pagues	pag-aras/ases	hubieras pagado
3 pague	pag-ara/ase	hubiera pagado
1 paguemos	pag-áramos/ásemos	hubiéramos pagado
2 paguéis	pag-arais/aseis	hubierais pagado
3 paguen	pag-aran/asen	hubieran pagado

PAS. COMP. haya pagado *etc*.

INFINITIF	*PARTICIPE*
PRESENT	**PRESENT**
pagar	pagando
PASSE	**PASSE**
haber pagado	pagado

sembler

PRESENT	IMPARFAIT	FUTUR
1 parezco	parecía	pareceré
2 pareces	parecías	parecerás
3 parece	parecía	parecerá
1 parecemos	parecíamos	pareceremos
2 parecéis	parecíais	pareceréis
3 parecen	parecían	parecerán

PASSE SIMPLE	PASSE COMPOSE	PLUS-QUE-PARFAIT
1 parecí	he parecido	había parecido
2 pareciste	has parecido	habías parecido
3 pareció	ha parecido	había parecido
1 parecimos	hemos parecido	habíamos parecido
2 parecisteis	habéis parecido	habíais parecido
3 parecieron	han parecido	habían parecido

PASSE ANTERIEUR	FUTUR ANTERIEUR
hube parecido *etc.*	habré parecido *etc.*

CONDITIONNEL

PRESENT	PASSE	*IMPERATIF*
1 parecería	habría parecido	
2 parecerías	habrías parecido	(tú) parece
3 parecería	habría parecido	(Vd) parezca
1 pareceríamos	habríamos parecido	(nosotros) parezcamos
2 pareceríais	habríais parecido	(vosotros) pareced
3 parecerían	habrían parecido	(Vds) parezcan

SUBJONCTIF

PRESENT	IMPARFAIT	PLUS-QUE-PARFAIT
1 parezca	parec-iera/iese	hubiera parecido
2 parezcas	parec-ieras/ieses	hubieras parecido
3 parezca	parec-iera/iese	hubiera parecido
1 parezcamos	parec-iéramos/iésemos	hubiéramos parecido
2 parezcáis	parec-ierais/ieseis	hubierais parecido
3 parezcan	parec-ieran/iesen	hubieran parecido

PAS. COMP. haya parecido *etc.*

INFINITIF	*PARTICIPE*
PRESENT	**PRESENT**
parecer	pareciendo
PASSE	**PASSE**
haber parecido	parecido

PRESENT	**IMPARFAIT**	**FUTUR**
1 paseo	paseaba	pasearé
2 paseas	paseabas	pasearás
3 pasea	paseaba	paseará
1 paseamos	paseábamos	pasearemos
2 paseáis	paseabais	pasearéis
3 pasean	paseaban	pasearán

PASSE SIMPLE	**PASSE COMPOSE**	**PLUS-QUE-PARFAIT**
1 paseé	he paseado	había paseado
2 paseaste	has paseado	habías paseado
3 paseó	ha paseado	había paseado
1 paseamos	hemos paseado	habíamos paseado
2 paseasteis	habéis paseado	habíais paseado
3 pasearon	han paseado	habían paseado

PASSE ANTERIEUR

hube paseado *etc*.

FUTUR ANTERIEUR

habré paseado *etc*.

CONDITIONNEL

PRESENT	**PASSE**	*IMPERATIF*
1 pasearía	habría paseado	
2 pasearías	habrías paseado	(tú) pasea
3 pasearía	habría paseado	(Vd) pasee
1 pasearíamos	habríamos paseado	(nosotros) paseemos
2 pasearíais	habríais paseado	(vosotros) pasead
3 pasearían	habrían paseado	(Vds) paseen

SUBJONCTIF

PRESENT	**IMPARFAIT**	**PLUS-QUE-PARFAIT**
1 pasee	pase-ara/ase	hubiera paseado
2 pasees	pase-aras/ases	hubieras paseado
3 pasee	pase-ara/ase	hubiera paseado
1 paseemos	pase-áramos/ásemos	hubiéramos paseado
2 paseéis	pase-arais/aseis	hubierais paseado
3 paseen	pase-aran/asen	hubieran paseado

PAS. COMP. haya paseado *etc*.

INFINITIF	*PARTICIPE*
PRESENT	**PRESENT**
pasear	paseando
PASSE	**PASSE**
haber paseado	paseado

PRESENT	IMPARFAIT	FUTUR
1 pido	pedía	pediré
2 pides	pedías	pedirás
3 pide	pedía	pedirá
1 pedimos	pedíamos	pediremos
2 pedís	pedíais	pediréis
3 piden	pedían	pedirán

PASSE SIMPLE	PASSE COMPOSE	PLUS-QUE-PARFAIT
1 pedí	he pedido	había pedido
2 pediste	has pedido	habías pedido
3 pidió	ha pedido	había pedido
1 pedimos	hemos pedido	habíamos pedido
2 pedisteis	habéis pedido	habíais pedido
3 pidieron	han pedido	habían pedido

PASSE ANTERIEUR	FUTUR ANTERIEUR
hube pedido *etc*.	habré pedido *etc*.

CONDITIONNEL

PRESENT	PASSE	*IMPERATIF*
1 pediría	habría pedido	
2 pedirías	habrías pedido	(tú) pide
3 pediría	habría pedido	(Vd) pida
1 pediríamos	habríamos pedido	(nosotros) pidamos
2 pediríais	habríais pedido	(vosotros) pedid
3 pedirían	habrían pedido	(Vds) pidan

SUBJONCTIF

PRESENT	IMPARFAIT	PLUS-QUE-PARFAIT
1 pida	pid-iera/iese	hubiera pedido
2 pidas	pid-ieras/ieses	hubieras pedido
3 pida	pid-iera/iese	hubiera pedido
1 pidamos	pid-iéramos/iésemos	hubiéramos pedido
2 pidáis	pid-ierais/ieseis	hubierais pedido
3 pidan	pid-ieran/iesen	hubieran pedido

PAS. COMP. haya pedido *etc*.

INFINITIF	*PARTICIPE*
PRESENT	**PRESENT**
pedir	pidiendo
PASSE	**PASSE**
haber pedido	pedido

PRESENT	**IMPARFAIT**	**FUTUR**
1 pienso	pensaba	pensaré
2 piensas	pensabas	pensarás
3 piensa	pensaba	pensará
1 pensamos	pensábamos	pensaremos
2 pensáis	pensabais	pensaréis
3 piensan	pensaban	pensarán

PASSE SIMPLE	**PASSE COMPOSE**	**PLUS-QUE-PARFAIT**
1 pensé	he pensado	había pensado
2 pensaste	has pensado	habías pensado
3 pensó	ha pensado	había pensado
1 pensamos	hemos pensado	habíamos pensado
2 pensasteis	habéis pensado	habíais pensado
3 pensaron	han pensado	habían pensado

PASSE ANTERIEUR	**FUTUR ANTERIEUR**
hube pensado *etc.*	habré pensado *etc.*

CONDITIONNEL		*IMPERATIF*
PRESENT	**PASSE**	
1 pensaría	habría pensado	
2 pensarías	habrías pensado	(tú) piensa
3 pensaría	habría pensado	(Vd) piense
1 pensaríamos	habríamos pensado	(nosotros) pensemos
2 pensaríais	habríais pensado	(vosotros) pensad
3 pensarían	habrían pensado	(Vds) piensen

SUBJONCTIF		
PRESENT	**IMPARFAIT**	**PLUS-QUE-PARFAIT**
1 piense	pens-ara/ase	hubiera pensado
2 pienses	pens-aras/ases	hubieras pensado
3 piense	pens-ara/ase	hubiera pensado
1 pensemos	pens-áramos/ásemos	hubiéramos pensado
2 penséis	pens-arais/aseis	hubierais pensado
3 piensen	pens-aran/asen	hubieran pensado

PAS. COMP. haya pensado *etc.*

INFINITIF	*PARTICIPE*
PRESENT	**PRESENT**
pensar	pensando
PASSE	**PASSE**
haber pensado	pensado

150 PERDER
perdre

PRESENT	IMPARFAIT	FUTUR
1 pierdo	perdía	perderé
2 pierdes	perdías	perderás
3 pierde	perdía	perderá
1 perdemos	perdíamos	perderemos
2 perdéis	perdíais	perderéis
3 pierden	perdían	perderán

PASSE SIMPLE	PASSE COMPOSE	PLUS-QUE-PARFAIT
1 perdí	he perdido	había perdido
2 perdiste	has perdido	habías perdido
3 perdió	ha perdido	había perdido
1 perdimos	hemos perdido	habíamos perdido
2 perdisteis	habéis perdido	habíais perdido
3 perdieron	han perdido	habían perdido

PASSE ANTERIEUR

hube perdido *etc.*

FUTUR ANTERIEUR

habré perdido *etc.*

CONDITIONNEL

PRESENT	PASSE	IMPERATIF
1 perdería	habría perdido	
2 perderías	habrías perdido	(tú) pierde
3 perdería	habría perdido	(Vd) pierda
1 perderíamos	habríamos perdido	(nosotros) perdamos
2 perderíais	habríais perdido	(vosotros) perded
3 perderían	habrían perdido	(Vds) pierdan

SUBJONCTIF

PRESENT	IMPARFAIT	PLUS-QUE-PARFAIT
1 pierda	perd-iera/iese	hubiera perdido
2 pierdas	perd-ieras/ieses	hubieras perdido
3 pierda	perd-iera/iese	hubiera perdido
1 perdamos	perd-iéramos/iésemos	hubiéramos perdido
2 perdáis	perd-ierais/ieseis	hubierais perdido
3 pierdan	perd-ieran/iesen	hubieran perdido

PAS. COMP. haya perdido *etc.*

INFINITIF	PARTICIPE
PRESENT	**PRESENT**
perder	perdiendo
PASSE	**PASSE**
haber perdido	perdido

PRESENT

1 pertenezco
2 perteneces
3 pertenece
1 pertenecemos
2 pertenecéis
3 pertenecen

IMPARFAIT

pertenecía
pertenecías
pertenecía
pertenecíamos
pertenecíais
pertenecían

FUTUR

perteneceré
pertenecerás
pertenecerá
perteneceremos
perteneceréis
pertenecerán

PASSE SIMPLE

1 pertenecí
2 perteneciste
3 perteneció
1 pertenecimos
2 pertenecisteis
3 pertenecieron

PASSE COMPOSE

he pertenecido
has pertenecido
ha pertenecido
hemos pertenecido
habéis pertenecido
han pertenecido

PLUS-QUE-PARFAIT

había pertenecido
habías pertenecido
había pertenecido
habíamos pertenecido
habíais pertenecido
habían pertenecido

PASSE ANTERIEUR

hube pertenecido *etc.*

FUTUR ANTERIEUR

habré pertenecido *etc.*

CONDITIONNEL
PRESENT

1 pertenecería
2 pertenecerías
3 pertenecería
1 perteneceríamos
2 perteneceríais
3 pertenecerían

PASSE

habría pertenecido
habrías pertenecido
habría pertenecido
habríamos pertenecido
habríais pertenecido
habrían pertenecido

IMPERATIF

(tú) pertenece
(Vd) pertenezca
(nosotros) pertenezcamos
(vosotros) perteneced
(Vds) pertenezcan

SUBJONCTIF
PRESENT

1 pertenezca
2 pertenezcas
3 pertenezca
1 pertenezcamos
2 pertenezcáis
3 pertenezcan

IMPARFAIT

pertenec-iera/iese
pertenec-ieras/ieses
pertenec-iera/iese
pertenec-iéramos/iésemos
pertenec-ierais/ieseis
pertenec-ieran/iesen

PLUS-QUE-PARFAIT

hubiera pertenecido
hubieras pertenecido
hubiera pertenecido
hubiéramos pertenecido
hubierais pertenecido
hubieran pertenecido

PAS. COMP. haya pertenecido *etc.*

INFINITIF
PRESENT

pertenecer

PASSE

haber pertenecido

PARTICIPE
PRESENT

perteneciendo

PASSE

pertenecido

PRESENT	IMPARFAIT	FUTUR
1 puedo	podía	podré
2 puedes	podías	podrás
3 puede	podía	podrá
1 podemos	podíamos	podremos
2 podéis	podíais	podréis
3 pueden	podían	podrán

PASSE SIMPLE	PASSE COMPOSE	PLUS-QUE-PARFAIT
1 pude	he podido	había podido
2 pudiste	has podido	habías podido
3 pudo	ha podido	había podido
1 pudimos	hemos podido	habíamos podido
2 pudisteis	habéis podido	habíais podido
3 pudieron	han podido	habían podido

PASSE ANTERIEUR

hube podido *etc.*

FUTUR ANTERIEUR

habré podido *etc.*

CONDITIONNEL

PRESENT	PASSE	IMPERATIF
1 podría	habría podido	
2 podrías	habrías podido	(tú) puede
3 podría	habría podido	(Vd) pueda
1 podríamos	habríamos podido	(nosotros) podamos
2 podríais	habríais podido	(vosotros) poded
3 podrían	habrían podido	(Vds) puedan

SUBJONCTIF

PRESENT	IMPARFAIT	PLUS-QUE-PARFAIT
1 pueda	pud-iera/iese	hubiera podido
2 puedas	pud-ieras/ieses	hubieras podido
3 pueda	pud-iera/iese	hubiera podido
1 podamos	pud-iéramos/iésemos	hubiéramos podido
2 podáis	pud-ierais/ieseis	hubierais podido
3 puedan	pud-ieran/iesen	hubieran podido

PAS. COMP. haya podido *etc.*

INFINITIF	PARTICIPE
PRESENT	**PRESENT**
poder	pudiendo
PASSE	**PASSE**
haber podido	podido

PRESENT	**IMPARFAIT**	**FUTUR**
1 pongo	ponía	pondré
2 pones	ponías	pondrás
3 pone	ponía	pondrá
1 ponemos	poníamos	pondremos
2 ponéis	poníais	pondréis
3 ponen	ponían	pondrán

PASSE SIMPLE	**PASSE COMPOSE**	**PLUS-QUE-PARFAIT**
1 puse	he puesto	había puesto
2 pusiste	has puesto	habías puesto
3 puso	ha puesto	había puesto
1 pusimos	hemos puesto	habíamos puesto
2 pusisteis	habéis puesto	habíais puesto
3 pusieron	han puesto	habían puesto

PASSE ANTERIEUR

hube puesto *etc.*

FUTUR ANTERIEUR

habré puesto *etc.*

CONDITIONNEL

PRESENT	**PASSE**	*IMPERATIF*
1 pondría	habría puesto	
2 pondrías	habrías puesto	(tú) pon
3 pondría	habría puesto	(Vd) ponga
1 pondríamos	habríamos puesto	(nosotros) pongamos
2 pondríais	habríais puesto	(vosotros) poned
3 pondrían	habrían puesto	(Vds) pongan

SUBJONCTIF

PRESENT	**IMPARFAIT**	**PLUS-QUE-PARFAIT**
1 ponga	pus-iera/iese	hubiera puesto
2 pongas	pus-ieras/ieses	hubieras puesto
3 ponga	pus-iera/iese	hubiera puesto
1 pongamos	pus-iéramos/iésemos	hubiéramos puesto
2 pongáis	pus-ierais/ieseis	hubierais puesto
3 pongan	pus-ieran/iesen	hubieran puesto

PAS. COMP. haya puesto *etc.*

INFINITIF	*PARTICIPE*
PRESENT	**PRESENT**
poner	poniendo
PASSE	**PASSE**
haber puesto	puesto

PRESENT	IMPARFAIT	FUTUR
1 prefiero	prefería	preferiré
2 prefieres	preferías	preferirás
3 prefiere	prefería	preferirá
1 preferimos	preferíamos	preferiremos
2 preferís	preferíais	preferiréis
3 prefieren	preferían	preferirán

PASSE SIMPLE	PASSE COMPOSE	PLUS-QUE-PARFAIT
1 preferí	he preferido	había preferido
2 preferiste	has preferido	habías preferido
3 prefirió	ha preferido	había preferido
1 preferimos	hemos preferido	habíamos preferido
2 preferisteis	habéis preferido	habíais preferido
3 prefirieron	han preferido	habían preferido

PASSE ANTERIEUR

hube preferido *etc.*

FUTUR ANTERIEUR

habré preferido *etc.*

CONDITIONNEL

IMPERATIF

PRESENT	PASSE	
1 preferiría	habría preferido	
2 preferirías	habrías preferido	(tú) prefiere
3 preferiría	habría preferido	(Vd) prefiera
1 preferiríamos	habríamos preferido	(nosotros) prefiramos
2 preferiríais	habríais preferido	(vosotros) preferid
3 preferirían	habrían preferido	(Vds) prefieran

SUBJONCTIF

PRESENT	IMPARFAIT	PLUS-QUE-PARFAIT
1 prefiera	prefir-iera/iese	hubiera preferido
2 prefieras	prefir-ieras/ieses	hubieras preferido
3 prefiera	prefir-iera/iese	hubiera preferido
1 prefiramos	prefir-iéramos/iésemos	hubiéramos preferido
2 prefiráis	prefir-ierais/ieseis	hubierais preferido
3 prefieran	prefir-ieran/iesen	hubieran preferido

PAS. COMP. haya preferido *etc.*

INFINITIF	*PARTICIPE*
PRESENT	**PRESENT**
preferir	prefiriendo
PASSE	**PASSE**
haber preferido	preferido

PRESENT	**IMPARFAIT**	**FUTUR**
1 pruebo	probaba	probaré
2 pruebas	probabas	probarás
3 prueba	probaba	probará
1 probamos	probábamos	probaremos
2 probáis	probabais	probaréis
3 prueban	probaban	probarán

PASSE SIMPLE	**PASSE COMPOSE**	**PLUS-QUE-PARFAIT**
1 probé	he probado	había probado
2 probaste	has probado	habías probado
3 probó	ha probado	había probado
1 probamos	hemos probado	habíamos probado
2 probasteis	habéis probado	habíais probado
3 probaron	han probado	habían probado

PASSE ANTERIEUR

hube probado *etc*.

FUTUR ANTERIEUR

habré probado *etc*.

CONDITIONNEL		*IMPERATIF*
PRESENT	**PASSE**	
1 probaría	habría probado	
2 probarías	habrías probado	(tú) prueba
3 probaría	habría probado	(Vd) pruebe
1 probaríamos	habríamos probado	(nosotros) probemos
2 probaríais	habríais probado	(vosotros) probad
3 probarían	habrían probado	(Vds) prueben

SUBJONCTIF		
PRESENT	**IMPARFAIT**	**PLUS-QUE-PARFAIT**
1 pruebe	prob-ara/ase	hubiera probado
2 pruebes	prob-aras/ases	hubieras probado
3 pruebe	prob-ara/ase	hubiera probado
1 probemos	prob-áramos/ásemos	hubiéramos probado
2 probéis	prob-arais/aseis	hubierais probado
3 prueben	prob-aran/asen	hubieran probado

PAS. COMP. haya probado *etc*.

INFINITIF	*PARTICIPE*
PRESENT	**PRESENT**
probar	probando
PASSE	**PASSE**
haber probado	probado

PRESENT	IMPARFAIT	FUTUR
1 prohíbo	prohibía	prohibiré
2 prohíbes	prohibías	prohibirás
3 prohíbe	prohibía	prohibirá
1 prohibimos	prohibíamos	prohibiremos
2 prohibís	prohibíais	prohibiréis
3 prohíben	prohibían	prohibirán

PASSE SIMPLE	PASSE COMPOSE	PLUS-QUE-PARFAIT
1 prohibí	he prohibido	había prohibido
2 prohibiste	has prohibido	habías prohibido
3 prohibió	ha prohibido	había prohibido
1 prohibimos	hemos prohibido	habíamos prohibido
2 prohibisteis	habéis prohibido	habíais prohibido
3 prohibieron	han prohibido	habían prohibido

PASSE ANTERIEUR

hube prohibido *etc.*

FUTUR ANTERIEUR

habré prohibido *etc.*

CONDITIONNEL

PRESENT	PASSE	*IMPERATIF*
1 prohibiría	habría prohibido	
2 prohibirías	habrías prohibido	(tú) prohíbe
3 prohibiría	habría prohibido	(Vd) prohíba
1 prohibiríamos	habríamos prohibido	(nosotros) prohibamos
2 prohibiríais	habríais prohibido	(vosotros) prohibid
3 prohibirían	habrían prohibido	(Vds) prohíban

SUBJONCTIF

PRESENT	IMPARFAIT	PLUS-QUE-PARFAIT
1 prohíba	prohib-iera/iese	hubiera prohibido
2 prohíbas	prohib-ieras/ieses	hubieras prohibido
3 prohíba	prohib-iera/iese	hubiera prohibido
1 prohibamos	prohib-iéramos/iésemos	hubiéramos prohibido
2 prohibáis	prohib-ierais/ieseis	hubierais prohibido
3 prohíban	prohib-ieran/iesen	hubieran prohibido

PAS. COMP. haya prohibido *etc.*

INFINITIF	*PARTICIPE*
PRESENT	**PRESENT**
prohibir	prohibiendo
PASSE	**PASSE**
haber prohibido	prohibido

PRESENT	**IMPARFAIT**	**FUTUR**
1 protejo	protegía	protegeré
2 proteges	protegías	protegerás
3 protege	protegía	protegerá
1 protegemos	protegíamos	protegeremos
2 protegéis	protegíais	protegeréis
3 protegen	protegían	protegerán

PASSE SIMPLE	**PASSE COMPOSE**	**PLUS-QUE-PARFAIT**
1 protegí	he protegido	había protegido
2 protegiste	has protegido	habías protegido
3 protegió	ha protegido	había protegido
1 protegimos	hemos protegido	habíamos protegido
2 protegisteis	habéis protegido	habíais protegido
3 protegieron	han protegido	habían protegido

PASSE ANTERIEUR	**FUTUR ANTERIEUR**
hube protegido *etc*.	habré protegido *etc*.

CONDITIONNEL		*IMPERATIF*
PRESENT	**PASSE**	
1 protegería	habría protegido	
2 protegerías	habrías protegido	(tú) protege
3 protegería	habría protegido	(Vd) proteja
1 protegeríamos	habríamos protegido	(nosotros) protejamos
2 protegeríais	habríais protegido	(vosotros) proteged
3 protegerían	habrían protegido	(Vds) protejan

SUBJONCTIF		
PRESENT	**IMPARFAIT**	**PLUS-QUE-PARFAIT**
1 proteja	proteg-iera/iese	hubiera protegido
2 protejas	proteg-ieras/ieses	hubieras protegido
3 proteja	proteg-iera/iese	hubiera protegido
1 protejamos	proteg-iéramos/iésemos	hubiéramos protegido
2 protejáis	proteg-ierais/ieseis	hubierais protegido
3 protejan	proteg-ieran/iesen	hubieran protegido

PAS. COMP. haya protegido *etc*.

INFINITIF	*PARTICIPE*
PRESENT	**PRESENT**
proteger	protegiendo
PASSE	**PASSE**
haber protegido	protegido

158 PUDRIR
pourrir

PRESENT	IMPARFAIT	FUTUR
1 pudro	pudría	pudriré
2 pudres	pudrías	pudrirás
3 pudre	pudría	pudrirá
1 pudrimos	pudríamos	pudriremos
2 pudrís	pudríais	pudriréis
3 pudren	pudrían	pudrirán

PASSE SIMPLE	PASSE COMPOSE	PLUS-QUE-PARFAIT
1 pudrí	he podrido	había podrido
2 pudriste	has podrido	habías podrido
3 pudrió	ha podrido	había podrido
1 pudrimos	hemos podrido	habíamos podrido
2 pudristeis	habéis podrido	habíais podrido
3 pudrieron	han podrido	habían podrido

PASSE ANTERIEUR

hube podrido *etc.*

FUTUR ANTERIEUR

habré podrido *etc.*

CONDITIONNEL

PRESENT	PASSE	IMPERATIF
1 pudriría	habría podrido	
2 pudrirías	habrías podrido	(tú) pudre
3 pudriría	habría podrido	(Vd) pudra
1 pudriríamos	habríamos podrido	(nosotros) pudramos
2 pudriríais	habríais podrido	(vosotros) pudrid
3 pudrirían	habrían podrido	(Vds) pudran

SUBJONCTIF

PRESENT	IMPARFAIT	PLUS-QUE-PARFAIT
1 pudra	pudr-iera/iese	hubiera podrido
2 pudras	pudr-ieras/ieses	hubieras podrido
3 pudra	pudr-iera/iese	hubiera podrido
1 pudramos	pudr-iéramos/iésemos	hubiéramos podrido
2 pudráis	pudr-ierais/ieseis	hubierais podrido
3 pudran	pudr-ieran/iesen	hubieran podrido

PAS. COMP. haya podrido *etc.*

INFINITIF	*PARTICIPE*
PRESENT	PRESENT
pudrir	pudriendo
PASSE	PASSE
haber podrido	podrido

PRESENT	**IMPARFAIT**	**FUTUR**
1 quiero	quería	querré
2 quieres	querías	querrás
3 quiere	quería	querrá
1 queremos	queríamos	querremos
2 queréis	queríais	querréis
3 quieren	querían	querrán

PASSE SIMPLE	**PASSE COMPOSE**	**PLUS-QUE-PARFAIT**
1 quise	he querido	había querido
2 quisiste	has querido	habías querido
3 quiso	ha querido	había querido
1 quisimos	hemos querido	habíamos querido
2 quisisteis	habéis querido	habíais querido
3 quisieron	han querido	habían querido

PASSE ANTERIEUR	**FUTUR ANTERIEUR**
hube querido *etc*.	habré querido *etc*.

CONDITIONNEL		*IMPERATIF*
PRESENT	**PASSE**	
1 querría	habría querido	
2 querrías	habrías querido	(tú) quiere
3 querría	habría querido	(Vd) quiera
1 querríamos	habríamos querido	(nosotros) queramos
2 querríais	habríais querido	(vosotros) quered
3 querrían	habrían querido	(Vds) quieran

SUBJONCTIF		
PRESENT	**IMPARFAIT**	**PLUS-QUE-PARFAIT**
1 quiera	quis-iera/iese	hubiera querido
2 quieras	quis-ieras/ieses	hubieras querido
3 quiera	quis-iera/iese	hubiera querido
1 queramos	quis-iéramos/iésemos	hubiéramos querido
2 queráis	quis-ierais/ieseis	hubierais querido
3 quieran	quis-ieran/iesen	hubieran querido

PAS. COMP. haya querido *etc*.

INFINITIF	*PARTICIPE*
PRESENT	**PRESENT**
querer	queriendo
PASSE	**PASSE**
haber querido	querido

RECIBIR
recevoir

PRESENT	**IMPARFAIT**	**FUTUR**
1 recibo	recibía	recibiré
2 recibes	recibías	recibirás
3 recibe	recibía	recibirá
1 recibimos	recibíamos	recibiremos
2 recibís	recibíais	recibiréis
3 reciben	recibían	recibirán

PASSE SIMPLE	**PASSE COMPOSE**	**PLUS-QUE-PARFAIT**
1 recibí	he recibido	había recibido
2 recibiste	has recibido	habías recibido
3 recibió	ha recibido	había recibido
1 recibimos	hemos recibido	habíamos recibido
2 recibisteis	habéis recibido	habíais recibido
3 recibieron	han recibido	habían recibido

PASSE ANTERIEUR

hube recibido *etc.*

FUTUR ANTERIEUR

habré recibido *etc.*

CONDITIONNEL

PRESENT	**PASSE**	*IMPERATIF*
1 recibiría	habría recibido	
2 recibirías	habrías recibido	(tú) recibe
3 recibiría	habría recibido	(Vd) reciba
1 recibiríamos	habríamos recibido	(nosotros) recibamos
2 recibiríais	habríais recibido	(vosotros) recibid
3 recibirían	habrían recibido	(Vds) reciban

SUBJONCTIF

PRESENT	**IMPARFAIT**	**PLUS-QUE-PARFAIT**
1 reciba	recib-iera/iese	hubiera recibido
2 recibas	recib-ieras/ieses	hubieras recibido
3 reciba	recib-iera/iese	hubiera recibido
1 recibamos	recib-iéramos/iésemos	hubiéramos recibido
2 recibáis	recib-ierais/ieseis	hubierais recibido
3 reciban	recib-ieran/iesen	hubieran recibido

PAS. COMP. haya recibido *etc.*

INFINITIF	*PARTICIPE*
PRESENT	**PRESENT**
recibir	recibiendo
PASSE	**PASSE**
haber recibido	recibido

PRESENT	IMPARFAIT	FUTUR
1 recuerdo	recordaba	recordaré
2 recuerdas	recordabas	recordarás
3 recuerda	recordaba	recordará
1 recordamos	recordábamos	recordaremos
2 recordáis	recordabais	recordaréis
3 recuerdan	recordaban	recordarán

PASSE SIMPLE	PASSE COMPOSE	PLUS-QUE-PARFAIT
1 recordé	he recordado	había recordado
2 recordaste	has recordado	habías recordado
3 recordó	ha recordado	había recordado
1 recordamos	hemos recordado	habíamos recordado
2 recordasteis	habéis recordado	habíais recordado
3 recordaron	han recordado	habían recordado

PASSE ANTERIEUR

hube recordado *etc*.

FUTUR ANTERIEUR

habré recordado *etc*.

CONDITIONNEL

PRESENT	PASSE	IMPERATIF
1 recordaría	habría recordado	
2 recordarías	habrías recordado	(tú) recuerda
3 recordaría	habría recordado	(Vd) recuerde
1 recordaríamos	habríamos recordado	(nosotros) recordemos
2 recordaríais	habríais recordado	(vosotros) recordad
3 recordarían	habrían recordado	(Vds) recuerden

SUBJONCTIF

PRESENT	IMPARFAIT	PLUS-QUE-PARFAIT
1 recuerde	record-ara/ase	hubiera recordado
2 recuerdes	record-aras/ases	hubieras recordado
3 recuerde	record-ara/ase	hubiera recordado
1 recordemos	record-áramos/ásemos	hubiéramos recordado
2 recordéis	record-arais/aseis	hubierais recordado
3 recuerden	record-aran/asen	hubieran recordado

PAS. COMP. haya recordado *etc*.

INFINITIF	*PARTICIPE*
PRESENT	**PRESENT**
recordar	recordando
PASSE	**PASSE**
haber recordado	recordado

PRESENT	**IMPARFAIT**	**FUTUR**
1 reduzco	reducía	reduciré
2 reduces	reducías	reducirás
3 reduce	reducía	reducirá
1 reducimos	reducíamos	reduciremos
2 reducís	reducíais	reduciréis
3 reducen	reducían	reducirán

PASSE SIMPLE	**PASSE COMPOSE**	**PLUS-QUE-PARFAIT**
1 reduje	he reducido	había reducido
2 redujiste	has reducido	habías reducido
3 redujo	ha reducido	había reducido
1 redujimos	hemos reducido	habíamos reducido
2 redujisteis	habéis reducido	habíais reducido
3 redujeron	han reducido	habían reducido

PASSE ANTERIEUR

hube reducido *etc.*

FUTUR ANTERIEUR

habré reducido *etc.*

CONDITIONNEL

PRESENT	**PASSE**	*IMPERATIF*
1 reduciría	habría reducido	
2 reducirías	habrías reducido	(tú) reduce
3 reduciría	habría reducido	(Vd) reduzca
1 reduciríamos	habríamos reducido	(nosotros) reduzcamos
2 reduciríais	habríais reducido	(vosotros) reducid
3 reducirían	habrían reducido	(Vds) reduzcan

SUBJONCTIF

PRESENT	**IMPARFAIT**	**PLUS-QUE-PARFAIT**
1 reduzca	reduj-era/ese	hubiera reducido
2 reduzcas	reduj-eras/eses	hubieras reducido
3 reduzca	reduj-era/ese	hubiera reducido
1 reduzcamos	reduj-éramos/ésemos	hubiéramos reducido
2 reduzcáis	reduj-erais/eseis	hubierais reducido
3 reduzcan	reduj-eran/esen	hubieran reducido

PAS. COMP. haya reducido *etc.*

INFINITIF	*PARTICIPE*
PRESENT	**PRESENT**
reducir	reduciendo
PASSE	**PASSE**
haber reducido	reducido

PRESENT	**IMPARFAIT**	**FUTUR**
1 regalo	regalaba	regalaré
2 regalas	regalabas	regalarás
3 regala	regalaba	regalará
1 regalamos	regalábamos	regalaremos
2 regaláis	regalabais	regalaréis
3 regalan	regalaban	regalarán

PASSE SIMPLE	**PASSE COMPOSE**	**PLUS-QUE-PARFAIT**
1 regalé	he regalado	había regalado
2 regalaste	has regalado	habías regalado
3 regaló	ha regalado	había regalado
1 regalamos	hemos regalado	habíamos regalado
2 regalasteis	habéis regalado	habíais regalado
3 regalaron	han regalado	habían regalado

PASSE ANTERIEUR	**FUTUR ANTERIEUR**
hube regalado *etc*.	habré regalado *etc*.

CONDITIONNEL

PRESENT	**PASSE**	*IMPERATIF*
1 regalaría	habría regalado	
2 regalarías	habrías regalado	(tú) regala
3 regalaría	habría regalado	(Vd) regale
1 regalaríamos	habríamos regalado	(nosotros) regalemos
2 regalaríais	habríais regalado	(vosotros) regalad
3 regalarían	habrían regalado	(Vds) regalen

SUBJONCTIF

PRESENT	**IMPARFAIT**	**PLUS-QUE-PARFAIT**
1 regale	regal-ara/ase	hubiera regalado
2 regales	regal-aras/ases	hubieras regalado
3 regale	regal-ara/ase	hubiera regalado
1 regalemos	regal-áramos/ásemos	hubiéramos regalado
2 regaléis	regal-arais/aseis	hubierais regalado
3 regalen	regal-aran/asen	hubieran regalado

PAS. COMP. haya regalado *etc*.

INFINITIF	*PARTICIPE*
PRESENT	**PRESENT**
regalar	regalando
PASSE	**PASSE**
haber regalado	regalado

164 REHUIR
fuir, éviter, refuser

PRESENT	IMPARFAIT	FUTUR
1 rehúyo	rehuía	rehuiré
2 rehúyes	rehuías	rehuirás
3 rehúye	rehuía	rehuirá
1 rehuimos	rehuíamos	rehuiremos
2 rehuís	rehuíais	rehuiréis
3 rehúyen	rehuían	rehuirán

PASSE SIMPLE	PASSE COMPOSE	PLUS-QUE-PARFAIT
1 rehuí	he rehuido	había rehuido
2 rehuiste	has rehuido	habías rehuido
3 rehuyó	ha rehuido	había rehuido
1 rehuimos	hemos rehuido	habíamos rehuido
2 rehuisteis	habéis rehuido	habíais rehuido
3 rehuyeron	han rehuido	habían rehuido

PASSE ANTERIEUR

hube rehuido *etc.*

FUTUR ANTERIEUR

habré rehuido *etc.*

CONDITIONNEL

PRESENT	PASSE	*IMPERATIF*
1 rehuiría	habría rehuido	
2 rehuirías	habrías rehuido	(tú) rehúye
3 rehuiría	habría rehuido	(Vd) rehúya
1 rehuiríamos	habríamos rehuido	(nosotros) rehuyamos
2 rehuiríais	habríais rehuido	(vosotros) rehuid
3 rehuirían	habrían rehuido	(Vds) rehúyan

SUBJONCTIF

PRESENT	IMPARFAIT	PLUS-QUE-PARFAIT
1 rehúya	rehu-yera/yese	hubiera rehuido
2 rehúyas	rehu-yeras/yeses	hubieras rehuido
3 rehúya	rehu-yera/yese	hubiera rehuido
1 rehuyamos	rehu-yéramos/yésemos	hubiéramos rehuido
2 rehuyáis	rehu-yerais/yeseis	hubierais rehuido
3 rehúyan	rehu-yeran/yesen	hubieran rehuido

PAS. COMP. haya rehuido *etc.*

INFINITIF	*PARTICIPE*
PRESENT	**PRESENT**
rehuir	rehuyendo
PASSE	**PASSE**
haber rehuido	rehuido

PRESENT	**IMPARFAIT**	**FUTUR**
1 rehúso	rehusaba	rehusaré
2 rehúsas	rehusabas	rehusarás
3 rehúsa	rehusaba	rehusará
1 rehusamos	rehusábamos	rehusaremos
2 rehusáis	rehusabais	rehusaréis
3 rehúsan	rehusaban	rehusarán

PASSE SIMPLE	**PASSE COMPOSE**	**PLUS-QUE-PARFAIT**
1 rehusé	he rehusado	había rehusado
2 rehusaste	has rehusado	habías rehusado
3 rehusó	ha rehusado	había rehusado
1 rehusamos	hemos rehusado	habíamos rehusado
2 rehusasteis	habéis rehusado	habíais rehusado
3 rehusaron	han rehusado	habían rehusado

PASSE ANTERIEUR	**FUTUR ANTERIEUR**
hube rehusado *etc*.	habré rehusado *etc*.

CONDITIONNEL		*IMPERATIF*
PRESENT	**PASSE**	
1 rehusaría	habría rehusado	
2 rehusarías	habrías rehusado	(tú) rehúsa
3 rehusaría	habría rehusado	(Vd) rehúse
1 rehusaríamos	habríamos rehusado	(nosotros) rehusemos
2 rehusaríais	habríais rehusado	(vosotros) rehusad
3 rehusarían	habrían rehusado	(Vds) rehúsen

SUBJONCTIF		
PRESENT	**IMPARFAIT**	**PLUS-QUE-PARFAIT**
1 rehúse	rehus-ara/ase	hubiera rehusado
2 rehúses	rehus-aras/ases	hubieras rehusado
3 rehúse	rehus-ara/ase	hubiera rehusado
1 rehusemos	rehus-áramos/ásemos	hubiéramos rehusado
2 rehuséis	rehus-arais/aseis	hubierais rehusado
3 rehúsen	rehus-aran/asen	hubieran rehusado

PAS. COMP. haya rehusado *etc*.

INFINITIF	*PARTICIPE*
PRESENT	**PRESENT**
rehusar	rehusando
PASSE	**PASSE**
haber rehusado	rehusado

PRESENT	IMPARFAIT	FUTUR
1 río	reía	reiré
2 ríes	reías	reirás
3 ríe	reía	reirá
1 reímos	reíamos	reiremos
2 reís	reíais	reiréis
3 ríen	reían	reirán

PASSE SIMPLE	PASSE COMPOSE	PLUS-QUE-PARFAIT
1 reí	he reído	había reído
2 reíste	has reído	habías reído
3 rió	ha reído	había reído
1 reímos	hemos reído	habíamos reído
2 reísteis	habéis reído	habíais reído
3 rieron	han reído	habían reído

PASSE ANTERIEUR

hube reído *etc*.

FUTUR ANTERIEUR

habré reído *etc*.

CONDITIONNEL

PRESENT	PASSE
1 reiría	habría reído
2 reirías	habrías reído
3 reiría	habría reído
1 reiríamos	habríamos reído
2 reiríais	habríais reído
3 reirían	habrían reído

IMPERATIF

(tú) ríe
(Vd) ría
(nosotros) riamos
(vosotros) reíd
(Vds) rían

SUBJONCTIF

PRESENT	IMPARFAIT	PLUS-QUE-PARFAIT
1 ría	ri-era/ese	hubiera reído
2 rías	ri-eras/eses	hubieras reído
3 ría	ri-era/ese	hubiera reído
1 riamos	ri-éramos/ésemos	hubiéramos reído
2 riáis	ri-erais/eseis	hubierais reído
3 rían	ri-eran/esen	hubieran reído

PAS. COMP. haya reído *etc*.

INFINITIF	*PARTICIPE*
PRESENT	PRESENT
reír	riendo
PASSE	PASSE
haber reído	reído

PRESENT	**IMPARFAIT**	**FUTUR**
1 renuevo	renovaba	renovaré
2 renuevas	renovabas	renovarás
3 renueva	renovaba	renovará
1 renovamos	renovábamos	renovaremos
2 renováis	renovabais	renovaréis
3 renuevan	renovaban	renovarán

PASSE SIMPLE	**PASSE COMPOSE**	**PLUS-QUE-PARFAIT**
1 renové	he renovado	había renovado
2 renovaste	has renovado	habías renovado
3 renovó	ha renovado	había renovado
1 renovamos	hemos renovado	habíamos renovado
2 renovasteis	habéis renovado	habíais renovado
3 renovaron	han renovado	habían renovado

PASSE ANTERIEUR

hube renovado *etc.*

FUTUR ANTERIEUR

habré renovado *etc.*

CONDITIONNEL

PRESENT	**PASSE**	*IMPERATIF*
1 renovaría	habría renovado	
2 renovarías	habrías renovado	(tú) renueva
3 renovaría	habría renovado	(Vd) renueve
1 renovaríamos	habríamos renovado	(nosotros) renovemos
2 renovaríais	habríais renovado	(vosotros) renovad
3 renovarían	habrían renovado	(Vds) renueven

SUBJONCTIF

PRESENT	**IMPARFAIT**	**PLUS-QUE-PARFAIT**
1 renueve	renov-ara/ase	hubiera renovado
2 renueves	renov-aras/ases	hubieras renovado
3 renueve	renov-ara/ase	hubiera renovado
1 renovemos	renov-áramos/ásemos	hubiéramos renovado
2 renovéis	renov-arais/aseis	hubierais renovado
3 renueven	renov-aran/asen	hubieran renovado

PAS. COMP. haya renovado *etc.*

INFINITIF	*PARTICIPE*
PRESENT	**PRESENT**
renovar	renovando
PASSE	**PASSE**
haber renovado	renovado

PRESENT	**IMPARFAIT**	**FUTUR**
1 riño	reñía	reñiré
2 riñes	reñías	reñirás
3 riñe	reñía	reñirá
1 reñimos	reñíamos	reñiremos
2 reñís	reñíais	reñiréis
3 riñen	reñían	reñirán

PASSE SIMPLE	**PASSE COMPOSE**	**PLUS-QUE-PARFAIT**
1 reñí	he reñido	había reñido
2 reñiste	has reñido	habías reñido
3 riñó	ha reñido	había reñido
1 reñimos	hemos reñido	habíamos reñido
2 reñisteis	habéis reñido	habíais reñido
3 riñeron	han reñido	habían reñido

PASSE ANTERIEUR

hube reñido *etc.*

FUTUR ANTERIEUR

habré reñido *etc.*

CONDITIONNEL		*IMPERATIF*
PRESENT	**PASSE**	
1 reñiría	habría reñido	
2 reñirías	habrías reñido	(tú) riñe
3 reñiría	habría reñido	(Vd) riña
1 reñiríamos	habríamos reñido	(nosotros) riñamos
2 reñiríais	habíais reñido	(vosotros) reñid
3 reñirían	habrían reñido	(Vds) riñan

SUBJONCTIF		
PRESENT	**IMPARFAIT**	**PLUS-QUE-PARFAIT**
1 riña	riñ-era/ese	hubiera reñido
2 riñas	riñ-eras/eses	hubieras reñido
3 riña	riñ-era/ese	hubiera reñido
1 riñamos	riñ-éramos/ésemos	hubiéramos reñido
2 riñáis	riñ-erais/eseis	hubierais reñido
3 riñan	riñ-eran/esen	hubieran reñido

PAS. COMP. haya reñido *etc.*

INFINITIF	*PARTICIPE*
PRESENT	**PRESENT**
reñir	riñendo
PASSE	**PASSE**
haber reñido	reñido

PRESENT	**IMPARFAIT**	**FUTUR**
1 repito	repetía	repetiré
2 repites	repetías	repetirás
3 repite	repetía	repetirá
1 repetimos	repetíamos	repetiremos
2 repetís	repetíais	repetiréis
3 repiten	repetían	repetirán

PASSE SIMPLE	**PASSE COMPOSE**	**PLUS-QUE-PARFAIT**
1 repetí	he repetido	había repetido
2 repetiste	has repetido	habías repetido
3 repitió	ha repetido	había repetido
1 repetimos	hemos repetido	habíamos repetido
2 repetisteis	habéis repetido	habíais repetido
3 repitieron	han repetido	habían repetido

PASSE ANTERIEUR	**FUTUR ANTERIEUR**
hube repetido *etc.*	habré repetido *etc.*

CONDITIONNEL		*IMPERATIF*
PRESENT	**PASSE**	
1 repetiría	habría repetido	
2 repetirías	habrías repetido	(tú) repite
3 repetiría	habría repetido	(Vd) repita
1 repetiríamos	habríamos repetido	(nosotros) repitamos
2 repetiríais	habríais repetido	(vosotros) repetid
3 repetirían	habrían repetido	(Vds) repitan

SUBJONCTIF		
PRESENT	**IMPARFAIT**	**PLUS-QUE-PARFAIT**
1 repita	repit-iera/iese	hubiera repetido
2 repitas	repit-ieras/ieses	hubieras repetido
3 repita	repit-iera/iese	hubiera repetido
1 repitamos	repit-iéramos/iésemos	hubiéramos repetido
2 repitáis	repit-ierais/ieseis	hubierais repetido
3 repitan	repit-ieran/iesen	hubieran repetido

PAS. COMP. haya repetido *etc.*

INFINITIF	*PARTICIPE*
PRESENT	**PRESENT**
repetir	repitiendo
PASSE	**PASSE**
haber repetido	repetido

170 ROER
grignoter, ronger

	PRESENT	IMPARFAIT	FUTUR
1	roo/roigo/royo	roía	roeré
2	roes	roías	roerás
3	roe	roía	roerá
1	roemos	roíamos	roeremos
2	roéis	roíais	roeréis
3	roen	roían	roerán

	PASSE SIMPLE	PASSE COMPOSE	PLUS-QUE-PARFAIT
1	roí	he roído	había roído
2	roíste	has roído	habías roído
3	royó	ha roído	había roído
1	roímos	hemos roído	habíamos roído
2	roísteis	habéis roído	habíais roído
3	royeron	han roído	habían roído

PASSE ANTERIEUR
hube roído *etc.*

FUTUR ANTERIEUR
habré roído *etc.*

CONDITIONNEL

	PRESENT	PASSE	IMPERATIF
1	roería	habría roído	
2	roerías	habrías roído	(tú) roe
3	roería	habría roído	(Vd) roa
1	roeríamos	habríamos roído	(nosotros) roamos
2	roeríais	habríais roído	(vosotros) roed
3	roerían	habrían roído	(Vds) roan

SUBJONCTIF

	PRESENT	IMPARFAIT	PLUS-QUE-PARFAIT
1	roa/roiga/roya	ro-yera/yese	hubiera roído
2	roas	ro-yeras/yeses	hubieras roído
3	roa	ro-yera/yese	hubiera roído
1	roamos	ro-yéramos/yésemos	hubiéramos roído
2	roáis	ro-yerais/yeseis	hubierais roído
3	roan	ro-yeran/yesen	hubieran roído

PAS. COMP. haya roído *etc.*

INFINITIF	PARTICIPE
PRESENT	**PRESENT**
roer	royendo
PASSE	**PASSE**
haber roído	roído

PRESENT	**IMPARFAIT**	**FUTUR**
1 ruego	rogaba	rogaré
2 ruegas	rogabas	rogarás
3 ruega	rogaba	rogará
1 rogamos	rogábamos	rogaremos
2 rogáis	rogabais	rogaréis
3 ruegan	rogaban	rogarán

PASSE SIMPLE	**PASSE COMPOSE**	**PLUS-QUE-PARFAIT**
1 rogué	he rogado	había rogado
2 rogaste	has rogado	habías rogado
3 rogó	ha rogado	había rogado
1 rogamos	hemos rogado	habíamos rogado
2 rogasteis	habéis rogado	habíais rogado
3 rogaron	han rogado	habían rogado

PASSE ANTERIEUR	**FUTUR ANTERIEUR**
hube rogado *etc.*	habré rogado *etc.*

CONDITIONNEL		*IMPERATIF*
PRESENT	**PASSE**	
1 rogaría	habría rogado	
2 rogarías	habrías rogado	
3 rogaría	habría rogado	(tú) ruega
1 rogaríamos	habríamos rogado	(Vd) ruegue
2 rogaríais	habríais rogado	(nosotros) roguemos
3 rogarían	habrían rogado	(vosotros) rogad
		(Vds) rueguen

SUBJONCTIF		
PRESENT	**IMPARFAIT**	**PLUS-QUE-PARFAIT**
1 ruegue	rog-ara/ase	hubiera rogado
2 ruegues	rog-aras/ases	hubieras rogado
3 ruegue	rog-ara/ase	hubiera rogado
1 roguemos	rog-áramos/ásemos	hubiéramos rogado
2 roguéis	rog-arais/aseis	hubierais rogado
3 rueguen	rog-aran/asen	hubieran rogado

PAS. COMP. haya rogado *etc.*

INFINITIF	*PARTICIPE*
PRESENT	**PRESENT**
rogar	rogando
PASSE	**PASSE**
haber rogado	rogado

172 ROMPER
casser

PRESENT	**IMPARFAIT**	**FUTUR**
1 rompo	rompía	romperé
2 rompes	rompías	romperás
3 rompe	rompía	romperá
1 rompemos	rompíamos	romperemos
2 rompéis	rompíais	romperéis
3 rompen	rompían	romperán

PASSE SIMPLE	**PASSE COMPOSE**	**PLUS-QUE-PARFAIT**
1 rompí	he roto	había roto
2 rompiste	has roto	habías roto
3 rompió	ha roto	había roto
1 rompimos	hemos roto	habíamos roto
2 rompisteis	habéis roto	habíais roto
3 rompieron	han roto	habían roto

PASSE ANTERIEUR	**FUTUR ANTERIEUR**
hube roto *etc.*	habré roto *etc.*

CONDITIONNEL

PRESENT	**PASSE**	*IMPERATIF*
1 rompería	habría roto	
2 romperías	habrías roto	(tú) rompe
3 rompería	habría roto	(Vd) rompa
1 romperíamos	habríamos roto	(nosotros) rompamos
2 romperíais	habríais roto	(vosotros) romped
3 romperían	habrían roto	(Vds) rompan

SUBJONCTIF

PRESENT	**IMPARFAIT**	**PLUS-QUE-PARFAIT**
1 rompa	romp-iera/iese	hubiera roto
2 rompas	romp-ieras/ieses	hubieras roto
3 rompa	romp-iera/iese	hubiera roto
1 rompamos	romp-iéramos/iésemos	hubiéramos roto
2 rompáis	romp-ierais/ieseis	hubierais roto
3 rompan	romp-ieran/iesen	hubieran roto

PAS. COMP. haya roto *etc.*

INFINITIF	*PARTICIPE*
PRESENT	**PRESENT**
romper	rompiendo
PASSE	**PASSE**
haber roto	roto

PRESENT	**IMPARFAIT**	**FUTUR**
1 sé	sabía	sabré
2 sabes	sabías	sabrás
3 sabe	sabía	sabrá
1 sabemos	sabíamos	sabremos
2 sabéis	sabíais	sabréis
3 saben	sabían	sabrán

PASSE SIMPLE	**PASSE COMPOSE**	**PLUS-QUE-PARFAIT**
1 supe	he sabido	había sabido
2 supiste	has sabido	habías sabido
3 supo	ha sabido	había sabido
1 supimos	hemos sabido	habíamos sabido
2 supisteis	habéis sabido	habíais sabido
3 supieron	han sabido	habían sabido

PASSE ANTERIEUR

hube sabido *etc.*

FUTUR ANTERIEUR

habré sabido *etc.*

CONDITIONNEL

PRESENT	**PASSE**	*IMPERATIF*
1 sabría	habría sabido	
2 sabrías	habrías sabido	(tú) sabe
3 sabría	habría sabido	(Vd) sepa
1 sabríamos	habríamos sabido	(nosotros) sepamos
2 sabríais	habríais sabido	(vosotros) sabed
3 sabrían	habrían sabido	(Vds) sepan

SUBJONCTIF

PRESENT	**IMPARFAIT**	**PLUS-QUE-PARFAIT**
1 sepa	sup-iera/iese	hubiera sabido
2 sepas	sup-ieras/ieses	hubieras sabido
3 sepa	sup-iera/iese	hubiera sabido
1 sepamos	sup-iéramos/iésemos	hubiéramos sabido
2 sepáis	sup-ierais/ieseis	hubierais sabido
3 sepan	sup-ieran/iesen	hubieran sabido

PAS. COMP. haya sabido *etc.*

INFINITIF	*PARTICIPE*
PRESENT	**PRESENT**
saber	sabiendo
PASSE	**PASSE**
haber sabido	sabido

174 SACAR
enlever, extraire

PRESENT	**IMPARFAIT**	**FUTUR**
1 saco	sacaba	sacaré
2 sacas	sacabas	sacarás
3 saca	sacaba	sacará
1 sacamos	sacábamos	sacaremos
2 sacáis	sacabais	sacaréis
3 sacan	sacaban	sacarán

PASSE SIMPLE	**PASSE COMPOSE**	**PLUS-QUE-PARFAIT**
1 saqué	he sacado	había sacado
2 sacaste	has sacado	habías sacado
3 sacó	ha sacado	había sacado
1 sacamos	hemos sacado	habíamos sacado
2 sacasteis	habéis sacado	habíais sacado
3 sacaron	han sacado	habían sacado

PASSE ANTERIEUR

hube sacado *etc.*

FUTUR ANTERIEUR

habré sacado *etc.*

CONDITIONNEL		*IMPERATIF*
PRESENT	**PASSE**	
1 sacaría	habría sacado	
2 sacarías	habrías sacado	(tú) saca
3 sacaría	habría sacado	(Vd) saque
1 sacaríamos	habríamos sacado	(nosotros) saquemos
2 sacaríais	habríais sacado	(vosotros) sacad
3 sacarían	habrían sacado	(Vds) saquen

SUBJONCTIF		
PRESENT	**IMPARFAIT**	**PLUS-QUE-PARFAIT**
1 saque	sac-ara/ase	hubiera sacado
2 saques	sac-aras/ases	hubieras sacado
3 saque	sac-ara/ase	hubiera sacado
1 saquemos	sac-áramos/ásemos	hubiéramos sacado
2 saquéis	sac-arais/aseis	hubierais sacado
3 saquen	sac-aran/asen	hubieran sacado

PAS. COMP. haya sacado *etc.*

INFINITIF	*PARTICIPE*
PRESENT	**PRESENT**
sacar	sacando
PASSE	**PASSE**
haber sacado	sacado

PRESENT	**IMPARFAIT**	**FUTUR**
1 salgo	salía	saldré
2 sales	salías	saldrás
3 sale	salía	saldrá
1 salimos	salíamos	saldremos
2 salís	salíais	saldréis
3 salen	salían	saldrán

PASSE SIMPLE	**PASSE COMPOSE**	**PLUS-QUE-PARFAIT**
1 salí	he salido	había salido
2 saliste	has salido	habías salido
3 salió	ha salido	había salido
1 salimos	hemos salido	habíamos salido
2 salisteis	habéis salido	habíais salido
3 salieron	han salido	habían salido

PASSE ANTERIEUR	**FUTUR ANTERIEUR**
hube salido *etc.*	habré salido *etc.*

CONDITIONNEL		*IMPERATIF*
PRESENT	**PASSE**	
1 saldría	habría salido	
2 saldrías	habrías salido	(tú) sal
3 saldría	habría salido	(Vd) salga
1 saldríamos	habríamos salido	(nosotros) salgamos
2 saldríais	habríais salido	(vosotros) salid
3 saldrían	habrían salido	(Vds) salgan

SUBJONCTIF		
PRESENT	**IMPARFAIT**	**PLUS-QUE-PARFAIT**
1 salga	sal-iera/iese	hubiera salido
2 salgas	sal-ieras/ieses	hubieras salido
3 salga	sal-iera/iese	hubiera salido
1 salgamos	sal-iéramos/iésemos	hubiéramos salido
2 salgáis	sal-ierais/ieseis	hubierais salido
3 salgan	sal-ieran/iesen	hubieran salido

PAS. COMP. haya salido *etc.*

INFINITIF	*PARTICIPE*
PRESENT	**PRESENT**
salir	saliendo
PASSE	**PASSE**
haber salido	salido

PRESENT	**IMPARFAIT**	**FUTUR**
1 satisfago	satisfacía	satisfaré
2 satisfaces	satisfacías	satisfarás
3 satisface	satisfacía	satisfará
1 satisfacemos	satisfacíamos	satisfaremos
2 satisfacéis	satisfacíais	satisfaréis
3 satisfacen	satisfacían	satisfarán

PASSE SIMPLE	**PASSE COMPOSE**	**PLUS-QUE-PARFAIT**
1 satisfice	he satisfecho	había satisfecho
2 satisficiste	has satisfecho	habías satisfecho
3 satisfizo	ha satisfecho	había satisfecho
1 satisficimos	hemos satisfecho	habíamos satisfecho
2 satisficisteis	habéis satisfecho	habíais satisfecho
3 satisficieron	han satisfecho	habían satisfecho

PASSE ANTERIEUR

hube satisfecho *etc*.

FUTUR ANTERIEUR

habré satisfecho *etc*.

CONDITIONNEL		*IMPERATIF*
PRESENT	**PASSE**	
1 satisfaría	habría satisfecho	
2 satisfarías	habrías satisfecho	(tú) satisface/satisfaz
3 satisfaría	habría satisfecho	(Vd) satisfaga
1 satisfaríamos	habríamos satisfecho	(nosotros) satisfagamos
2 satisfaríais	habríais satisfecho	(vosotros) satisfaced
3 satisfarían	habrían satisfecho	(Vds) satisfagan

SUBJONCTIF		
PRESENT	**IMPARFAIT**	**PLUS-QUE-PARFAIT**
1 satisfaga	satisfic-iera/iese	hubiera satisfecho
2 satisfagas	satisfic-ieras/ieses	hubieras satisfecho
3 satisfaga	satisfic-iera/iese	hubiera satisfecho
1 satisfagamos	satisfic-iéramos/iésemos	hubiéramos satisfecho
2 satisfagáis	satisfic-ierais/ieseis	hubierais satisfecho
3 satisfagan	satisfic-ieran/iesen	hubieran satisfecho

PAS. COMP. haya satisfecho *etc*.

INFINITIF	*PARTICIPE*
PRESENT	**PRESENT**
satisfacer	satisfaciendo
PASSE	**PASSE**
haber satisfecho	satisfecho

PRESENT	**IMPARFAIT**	**FUTUR**
1 seco	secaba	secaré
2 secas	secabas	secarás
3 seca	secaba	secará
1 secamos	secábamos	secaremos
2 secáis	secabais	secaréis
3 secan	secaban	secarán

PASSE SIMPLE	**PASSE COMPOSE**	**PLUS-QUE-PARFAIT**
1 sequé	he secado	había secado
2 secaste	has secado	habías secado
3 secó	ha secado	había secado
1 secamos	hemos secado	habíamos secado
2 secasteis	habéis secado	habíais secado
3 secaron	han secado	habían secado

PASSE ANTERIEUR

hube secado *etc*.

FUTUR ANTERIEUR

habré secado *etc*.

CONDITIONNEL
PRESENT	**PASSE**	*IMPERATIF*
1 secaría	habría secado	
2 secarías	habrías secado	(tú) seca
3 secaría	habría secado	(Vd) seque
1 secaríamos	habríamos secado	(nosotros) sequemos
2 secaríais	habríais secado	(vosotros) secad
3 secarían	habrían secado	(Vds) sequen

SUBJONCTIF
PRESENT	**IMPARFAIT**	**PLUS-QUE-PARFAIT**
1 seque	sec-ara/ase	hubiera secado
2 seques	sec-aras/ases	hubieras secado
3 seque	sec-ara/ase	hubiera secado
1 sequemos	sec-áramos/ásemos	hubiéramos secado
2 sequéis	sec-arais/aseis	hubierais secado
3 sequen	sec-aran/asen	hubieran secado

PAS. COMP. haya secado *etc*.

INFINITIF	*PARTICIPE*
PRESENT	**PRESENT**
secar	secando
PASSE	**PASSE**
haber secado	secado

PRESENT	IMPARFAIT	FUTUR
1 sigo	seguía	seguiré
2 sigues	seguías	seguirás
3 sigue	seguía	seguirá
1 seguimos	seguíamos	seguiremos
2 seguís	seguíais	seguiréis
3 siguen	seguían	seguirán

PASSE SIMPLE	PASSE COMPOSE	PLUS-QUE-PARFAIT
1 seguí	he seguido	había seguido
2 seguiste	has seguido	habías seguido
3 siguió	ha seguido	había seguido
1 seguimos	hemos seguido	habíamos seguido
2 seguisteis	habéis seguido	habíais seguido
3 siguieron	han seguido	habían seguido

PASSE ANTERIEUR

hube seguido *etc.*

FUTUR ANTERIEUR

habré seguido *etc.*

CONDITIONNEL

PRESENT	PASSE	*IMPERATIF*
1 seguiría	habría seguido	
2 seguirías	habrías seguido	(tú) sigue
3 seguiría	habría seguido	(Vd) siga
1 seguiríamos	habríamos seguido	(nosotros) sigamos
2 seguiríais	habríais seguido	(vosotros) seguid
3 seguirían	habrían seguido	(Vds) sigan

SUBJONCTIF

PRESENT	IMPARFAIT	PLUS-QUE-PARFAIT
1 siga	sigu-iera/iese	hubiera seguido
2 sigas	sigu-ieras/ieses	hubieras seguido
3 siga	sigu-iera/iese	hubiera seguido
1 sigamos	sigu-iéramos/iésemos	hubiéramos seguido
2 sigáis	sigu-ierais/ieseis	hubierais seguido
3 sigan	sigu-ieran/iesen	hubieran seguido

PAS. COMP. haya seguido *etc.*

INFINITIF	*PARTICIPE*
PRESENT	**PRESENT**
seguir	siguiendo
PASSE	**PASSE**
haber seguido	seguido

PRESENT	**IMPARFAIT**	**FUTUR**
1 me siento	me sentaba	me sentaré
2 te sientas	te sentabas	te sentarás
3 se sienta	se sentaba	se sentará
1 nos sentamos	nos sentábamos	nos sentaremos
2 os sentáis	os sentabais	os sentaréis
3 se sientan	se sentaban	se sentarán

PASSE SIMPLE	**PASSE COMPOSE**	**PLUS-QUE-PARFAIT**
1 me senté	me he sentado	me había sentado
2 te sentaste	te has sentado	te habías sentado
3 se sentó	se ha sentado	se había sentado
1 nos sentamos	nos hemos sentado	nos habíamos sentado
2 os sentasteis	os habéis sentado	os habíais sentado
3 se sentaron	se han sentado	se habían sentado

PASSE ANTERIEUR

me hube sentado *etc.*

FUTUR ANTERIEUR

me habré sentado *etc.*

CONDITIONNEL

PRESENT	**PASSE**	*IMPERATIF*
1 me sentaría	me habría sentado	
2 te sentarías	te habrías sentado	(tú) siéntate
3 se sentaría	se habría sentado	(Vd) siéntese
1 nos sentaríamos	nos habríamos sentado	(nosotros) sentémonos
2 os sentaríais	os habríais sentado	(vosotros) sentaos
3 se sentarían	se habrían sentado	(Vds) siéntense

SUBJONCTIF

PRESENT	**IMPARFAIT**	**PLUS-QUE-PARFAIT**
1 me siente	me sent-ara/ase	me hubiera sentado
2 te sientes	te sent-aras/ases	te hubieras sentado
3 se siente	se sent-ara/ase	se hubiera sentado
1 nos sentemos	nos sent-áramos/ásemos	nos hubiéramos sentado
2 os sentéis	os sent-arais/aseis	os hubierais sentado
3 se sienten	se sent-aran/asen	se hubieran sentado

PAS. COMP. me haya sentado *etc.*

INFINITIF	*PARTICIPE*
PRESENT	**PRESENT**
sentarse	sentándose
PASSE	**PASSE**
haberse sentado	sentado

SENTIR
sentir, regretter

PRESENT	IMPARFAIT	FUTUR
1 siento	sentía	sentiré
2 sientes	sentías	sentirás
3 siente	sentía	sentirá
1 sentimos	sentíamos	sentiremos
2 sentís	sentíais	sentiréis
3 sienten	sentían	sentirán

PASSE SIMPLE	PASSE COMPOSE	PLUS-QUE-PARFAIT
1 sentí	he sentido	había sentido
2 sentiste	has sentido	habías sentido
3 sintió	ha sentido	había sentido
1 sentimos	hemos sentido	habíamos sentido
2 sentisteis	habéis sentido	habíais sentido
3 sintieron	han sentido	habían sentido

PASSE ANTERIEUR	FUTUR ANTERIEUR
hube sentido *etc.*	habré sentido *etc.*

CONDITIONNEL		*IMPERATIF*
PRESENT	**PASSE**	
1 sentiría	habría sentido	
2 sentirías	habrías sentido	(tú) siente
3 sentiría	habría sentido	(Vd) sienta
1 sentiríamos	habríamos sentido	(nosotros) sintamos
2 sentiríais	habríais sentido	(vosotros) sentid
3 sentirían	habrían sentido	(Vds) sientan

SUBJONCTIF		
PRESENT	**IMPARFAIT**	**PLUS-QUE-PARFAIT**
1 sienta	sint-iera/iese	hubiera sentido
2 sientas	sint-ieras/ieses	hubieras sentido
3 sienta	sint-iera/iese	hubiera sentido
1 sintamos	sint-iéramos/iésemos	hubiéramos sentido
2 sintáis	sint-ierais/ieseis	hubierais sentido
3 sientan	sint-ieran/iesen	hubieran sentido

PAS. COMP. haya sentido *etc.*

INFINITIF	*PARTICIPE*
PRESENT	**PRESENT**
sentir	sintiendo
PASSE	**PASSE**
haber sentido	sentido

	PRESENT	**IMPARFAIT**	**FUTUR**
1	soy	era	seré
2	eres	eras	serás
3	es	era	será
1	somos	éramos	seremos
2	sois	erais	seréis
3	son	eran	serán

	PASSE SIMPLE	**PASSE COMPOSE**	**PLUS-QUE-PARFAIT**
1	fui	he sido	había sido
2	fuiste	has sido	habías sido
3	fue	ha sido	había sido
1	fuimos	hemos sido	habíamos sido
2	fuisteis	habéis sido	habíais sido
3	fueron	han sido	habían sido

PASSE ANTERIEUR

hube sido *etc.*

FUTUR ANTERIEUR

habré sido *etc.*

CONDITIONNEL

	PRESENT	**PASSE**
1	sería	habría sido
2	serías	habrías sido
3	sería	habría sido
1	seríamos	habríamos sido
2	seríais	habríais sido
3	serían	habrían sido

IMPERATIF

(tú) sé
(Vd) sea
(nosotros) seamos
(vosotros) sed
(Vds) sean

SUBJONCTIF

	PRESENT	**IMPARFAIT**	**PLUS-QUE-PARFAIT**
1	sea	fu-era/ese	hubiera sido
2	seas	fu-eras/eses	hubieras sido
3	sea	fu-era/ese	hubiera sido
1	seamos	fu-éramos/ésemos	hubiéramos sido
2	seáis	fu-erais/eseis	hubierais sido
3	sean	fu-eran/esen	hubieran sido

PAS. COMP. haya sido *etc.*

INFINITIF	*PARTICIPE*
PRESENT	**PRESENT**
ser	siendo
PASSE	**PASSE**
haber sido	sido

PRESENT	**IMPARFAIT**	**FUTUR**
1 sirvo	servía	serviré
2 sirves	servías	servirás
3 sirve	servía	servirá
1 servimos	servíamos	serviremos
2 servís	servíais	serviréis
3 sirven	servían	servirán

PASSE SIMPLE	**PASSE COMPOSE**	**PLUS-QUE-PARFAIT**
1 serví	he servido	había servido
2 serviste	has servido	habías servido
3 sirvió	ha servido	había servido
1 servimos	hemos servido	habíamos servido
2 servisteis	habéis servido	habíais servido
3 sirvieron	han servido	habían servido

PASSE ANTERIEUR	**FUTUR ANTERIEUR**
hube servido *etc.*	habré servido *etc.*

CONDITIONNEL		*IMPERATIF*
PRESENT	**PASSE**	
1 serviría	habría servido	
2 servirías	habrías servido	(tú) sirve
3 serviría	habría servido	(Vd) sirva
1 serviríamos	habríamos servido	(nosotros) sirvamos
2 serviríais	habríais servido	(vosotros) servid
3 servirían	habrían servido	(Vds) sirvan

SUBJONCTIF		
PRESENT	**IMPARFAIT**	**PLUS-QUE-PARFAIT**
1 sirva	sirv-iera/iese	hubiera servido
2 sirvas	sirv-ieras/ieses	hubieras servido
3 sirva	sirv-iera/iese	hubiera servido
1 sirvamos	sirv-iéramos/iésemos	hubiéramos servido
2 sirváis	sirv-ierais/ieseis	hubierais servido
3 sirvan	sirv-ieran/iesen	hubieran servido

PAS. COMP. haya servido *etc.*

INFINITIF	*PARTICIPE*
PRESENT	**PRESENT**
servir	sirviendo
PASSE	**PASSE**
haber servido	servido

	PRESENT	**IMPARFAIT**	**FUTUR**
1	sitúo	situaba	situaré
2	sitúas	situabas	situarás
3	sitúa	situaba	situará
1	situamos	situábamos	situaremos
2	situáis	situabais	situaréis
3	sitúan	situaban	situarán

	PASSE SIMPLE	**PASSE COMPOSE**	**PLUS-QUE-PARFAIT**
1	situé	he situado	había situado
2	situaste	has situado	habías situado
3	situó	ha situado	había situado
1	situamos	hemos situado	habíamos situado
2	situasteis	habéis situado	habíais situado
3	situaron	han situado	habían situado

PASSE ANTERIEUR

hube situado *etc.*

FUTUR ANTERIEUR

habré situado *etc.*

CONDITIONNEL

	PRESENT	**PASSE**	*IMPERATIF*
1	situaría	habría situado	
2	situarías	habrías situado	(tú) sitúa
3	situaría	habría situado	(Vd) sitúe
1	situaríamos	habríamos situado	(nosotros) situemos
2	situaríais	habríais situado	(vosotros) situad
3	situarían	habrían situado	(Vds) sitúen

SUBJONCTIF

	PRESENT	**IMPARFAIT**	**PLUS-QUE-PARFAIT**
1	sitúe	situ-ara/ase	hubiera situado
2	sitúes	situ-aras/ases	hubieras situado
3	sitúe	situ-ara/ase	hubiera situado
1	situemos	situ-áramos/ásemos	hubiéramos situado
2	situéis	situ-arais/aseis	hubierais situado
3	sitúen	situ-aran/asen	hubieran situado

PAS. COMP. haya situado *etc.*

INFINITIF	*PARTICIPE*
PRESENT	**PRESENT**
situar	situando
PASSE	**PASSE**
haber situado	situado

184 SOLER
avoir l'habitude de

PRESENT	IMPARFAIT	FUTUR
1 suelo	solía	
2 sueles	solías	
3 suele	solía	
1 solemos	solíamos	
2 soléis	solíais	
3 suelen	solían	

PASSE SIMPLE	PASSE COMPOSE	PLUS-QUE-PARFAIT

PASSE ANTERIEUR		FUTUR ANTERIEUR

CONDITIONNEL		*IMPERATIF*
PRESENT	PASSE	

SUBJONCTIF		
PRESENT	IMPARFAIT	PLUS-QUE-PARFAIT
1 suela		
2 suelas		
3 suela		
1 solamos		
2 soláis		
3 suelan		

PAS. COMP.

INFINITIF	*PARTICIPE*	*N.B.*
PRESENT	PRESENT	Les autres temps sont rarement utilisés.
soler		
PASSE	PASSE	

PRESENT	IMPARFAIT	FUTUR
1 sueño	soñaba	soñaré
2 sueñas	soñabas	soñarás
3 sueña	soñaba	soñará
1 soñamos	soñábamos	soñaremos
2 soñáis	soñabais	soñaréis
3 sueñan	soñaban	soñarán

PASSE SIMPLE	PASSE COMPOSE	PLUS-QUE-PARFAIT
1 soñé	he soñado	había soñado
2 soñaste	has soñado	habías soñado
3 soñó	ha soñado	había soñado
1 soñamos	hemos soñado	habíamos soñado
2 soñasteis	habéis soñado	habíais soñado
3 soñaron	han soñado	habían soñado

PASSE ANTERIEUR

hube soñado *etc.*

FUTUR ANTERIEUR

habré soñado *etc.*

CONDITIONNEL

PRESENT	PASSE	*IMPERATIF*
1 soñaría	habría soñado	
2 soñarías	habrías soñado	(tú) sueña
3 soñaría	habría soñado	(Vd) sueñe
1 soñaríamos	habríamos soñado	(nosotros) soñemos
2 soñaríais	habríais soñado	(vosotros) soñad
3 soñarían	habrían soñado	(Vds) sueñen

SUBJONCTIF

PRESENT	IMPARFAIT	PLUS-QUE-PARFAIT
1 sueñe	soñ-ara/ase	hubiera soñado
2 sueñes	soñ-aras/ases	hubieras soñado
3 sueñe	soñ-ara/ase	hubiera soñado
1 soñemos	soñ-áramos/ásemos	hubiéramos soñado
2 soñéis	soñ-arais/aseis	hubierais soñado
3 sueñen	soñ-aran/asen	hubieran soñado

PAS. COMP. haya soñado *etc.*

INFINITIF	*PARTICIPE*
PRESENT	**PRESENT**
soñar	soñando
PASSE	**PASSE**
haber soñado	soñado

186 SUBIR
monter

PRESENT	IMPARFAIT	FUTUR
1 subo	subía	subiré
2 subes	subías	subirás
3 sube	subía	subirá
1 subimos	subíamos	subiremos
2 subís	subíais	subiréis
3 suben	subían	subirán

PASSE SIMPLE	PASSE COMPOSE	PLUS-QUE-PARFAIT
1 subí	he subido	había subido
2 subiste	has subido	habías subido
3 subió	ha subido	había subido
1 subimos	hemos subido	habíamos subido
2 subisteis	habéis subido	habíais subido
3 subieron	han subido	habían subido

PASSE ANTERIEUR	FUTUR ANTERIEUR
hube subido *etc.*	habré subido *etc.*

CONDITIONNEL		*IMPERATIF*
PRESENT	**PASSE**	
1 subiría	habría subido	
2 subirías	habrías subido	(tú) sube
3 subiría	habría subido	(Vd) suba
1 subiríamos	habríamos subido	(nosotros) subamos
2 subiríais	habríais subido	(vosotros) subid
3 subirían	habrían subido	(Vds) suban

SUBJONCTIF		
PRESENT	**IMPARFAIT**	**PLUS-QUE-PARFAIT**
1 suba	sub-iera/iese	hubiera subido
2 subas	sub-ieras/ieses	hubieras subido
3 suba	sub-iera/iese	hubiera subido
1 subamos	sub-iéramos/iésemos	hubiéramos subido
2 subáis	sub-ierais/ieseis	hubierais subido
3 suban	sub-ieran/iesen	hubieran subido

PAS. COMP. haya subido *etc.*

INFINITIF	*PARTICIPE*
PRESENT	**PRESENT**
subir	subiendo
PASSE	**PASSE**
haber subido	subido

PRESENT	**IMPARFAIT**	**FUTUR**
1 sugiero	sugería	sugeriré
2 sugieres	sugerías	sugerirás
3 sugiere	sugería	sugerirá
1 sugerimos	sugeríamos	sugeriremos
2 sugerís	sugeríais	sugeriréis
3 sugieren	sugerían	sugerirán

PASSE SIMPLE	**PASSE COMPOSE**	**PLUS-QUE-PARFAIT**
1 sugerí	he sugerido	había sugerido
2 sugeriste	has sugerido	habías sugerido
3 sugirió	ha sugerido	había sugerido
1 sugerimos	hemos sugerido	habíamos sugerido
2 sugeristeis	habéis sugerido	habíais sugerido
3 sugirieron	han sugerido	habían sugerido

PASSE ANTERIEUR

hube sugerido *etc.*

FUTUR ANTERIEUR

habré sugerido *etc.*

CONDITIONNEL

PRESENT	**PASSE**	*IMPERATIF*
1 sugeriría	habría sugerido	
2 sugerirías	habrías sugerido	(tú) sugiere
3 sugeriría	habría sugerido	(Vd) sugiera
1 sugeriríamos	habríamos sugerido	(nosotros) sugiramos
2 sugeriríais	habríais sugerido	(vosotros) sugerid
3 sugerirían	habrían sugerido	(Vds) sugieran

SUBJONCTIF

PRESENT	**IMPARFAIT**	**PLUS-QUE-PARFAIT**
1 sugiera	sugir-iera/iese	hubiera sugerido
2 sugieras	sugir-ieras/ieses	hubieras sugerido
3 sugiera	sugir-iera/iese	hubiera sugerido
1 sugiramos	sugir-iéramos/iésemos	hubiéramos sugerido
2 sugiráis	sugir-ierais/ieseis	hubierais sugerido
3 sugieran	sugir-ieran/iesen	hubieran sugerido

PAS. COMP. haya sugerido *etc.*

INFINITIF	*PARTICIPE*
PRESENT	**PRESENT**
sugerir	sugiriendo
PASSE	**PASSE**
haber sugerido	sugerido

PRESENT	**IMPARFAIT**	**FUTUR**
1 tengo	tenía	tendré
2 tienes	tenías	tendrás
3 tiene	tenía	tendrá
1 tenemos	teníamos	tendremos
2 tenéis	teníais	tendréis
3 tienen	tenían	tendrán

PASSE SIMPLE	**PASSE COMPOSE**	**PLUS-QUE-PARFAIT**
1 tuve	he tenido	había tenido
2 tuviste	has tenido	habías tenido
3 tuvo	ha tenido	había tenido
1 tuvimos	hemos tenido	habíamos tenido
2 tuvisteis	habéis tenido	habíais tenido
3 tuvieron	han tenido	habían tenido

PASSE ANTERIEUR

hube tenido *etc.*

FUTUR ANTERIEUR

habré tenido *etc.*

CONDITIONNEL		*IMPERATIF*
PRESENT	**PASSE**	
1 tendría	habría tenido	
2 tendrías	habrías tenido	(tú) ten
3 tendría	habría tenido	(Vd) tenga
1 tendríamos	habríamos tenido	(nosotros) tengamos
2 tendríais	habríais tenido	(vosotros) tened
3 tendrían	habrían tenido	(Vds) tengan

SUBJONCTIF		
PRESENT	**IMPARFAIT**	**PLUS-QUE-PARFAIT**
1 tenga	tuv-iera/iese	hubiera tenido
2 tengas	tuv-ieras/ieses	hubieras tenido
3 tenga	tuv-iera/iese	hubiera tenido
1 tengamos	tuv-iéramos/iésemos	hubiéramos tenido
2 tengáis	tuv-ierais/ieseis	hubierais tenido
3 tengan	tuv-ieran/iesen	hubieran tenido

PAS. COMP. haya tenido *etc.*

INFINITIF	*PARTICIPE*
PRESENT	**PRESENT**
tener	teniendo
PASSE	**PASSE**
haber tenido	tenido

PRESENT

1 termino
2 terminas
3 termina
1 terminamos
2 termináis
3 terminan

IMPARFAIT

terminaba
terminabas
terminaba
terminábamos
terminabais
terminaban

FUTUR

terminaré
terminarás
terminará
terminaremos
terminaréis
terminarán

PASSE SIMPLE

1 terminé
2 terminaste
3 terminó
1 terminamos
2 terminasteis
3 terminaron

PASSE COMPOSE

he terminado
has terminado
ha terminado
hemos terminado
habéis terminado
han terminado

PLUS-QUE-PARFAIT

había terminado
habías terminado
había terminado
habíamos terminado
habíais terminado
habían terminado

PASSE ANTERIEUR

hube terminado *etc.*

FUTUR ANTERIEUR

habré terminado *etc.*

CONDITIONNEL
PRESENT

1 terminaría
2 terminarías
3 terminaría
1 terminaríamos
2 terminaríais
3 terminarían

PASSE

habría terminado
habrías terminado
habría terminado
habríamos terminado
habríais terminado
habrían terminado

IMPERATIF

(tú) termina
(Vd) termine
(nosotros) terminemos
(vosotros) terminad
(Vds) terminen

SUBJONCTIF
PRESENT

1 termine
2 termines
3 termine
1 terminemos
2 terminéis
3 terminen

IMPARFAIT

termin-ara/ase
termin-aras/ases
termin-ara/ase
termin-áramos/ásemos
termin-arais/aseis
termin-aran/asen

PLUS-QUE-PARFAIT

hubiera terminado
hubieras terminado
hubiera terminado
hubiéramos terminado
hubierais terminado
hubieran terminado

PAS. COMP. haya terminado *etc.*

INFINITIF
PRESENT

terminar

PASSE

haber terminado

PARTICIPE
PRESENT

terminando

PASSE

terminado

PRESENT	**IMPARFAIT**	**FUTUR**
1 toco	tocaba	tocaré
2 tocas	tocabas	tocarás
3 toca	tocaba	tocará
1 tocamos	tocábamos	tocaremos
2 tocáis	tocabais	tocaréis
3 tocan	tocaban	tocarán

PASSE SIMPLE	**PASSE COMPOSE**	**PLUS-QUE-PARFAIT**
1 toqué	he tocado	había tocado
2 tocaste	has tocado	habías tocado
3 tocó	ha tocado	había tocado
1 tocamos	hemos tocado	habíamos tocado
2 tocasteis	habéis tocado	habíais tocado
3 tocaron	han tocado	habían tocado

PASSE ANTERIEUR

hube tocado *etc.*

FUTUR ANTERIEUR

habré tocado *etc.*

CONDITIONNEL		*IMPERATIF*
PRESENT	**PASSE**	
1 tocaría	habría tocado	
2 tocarías	habrías tocado	(tú) toca
3 tocaría	habría tocado	(Vd) toque
1 tocaríamos	habríamos tocado	(nosotros) toquemos
2 tocaríais	habríais tocado	(vosotros) tocad
3 tocarían	habrían tocado	(Vds) toquen

SUBJONCTIF		
PRESENT	**IMPARFAIT**	**PLUS-QUE-PARFAIT**
1 toque	toc-ara/ase	hubiera tocado
2 toques	toc-aras/ases	hubieras tocado
3 toque	toc-ara/ase	hubiera tocado
1 toquemos	toc-áramos/ásemos	hubiéramos tocado
2 toquéis	toc-arais/aseis	hubierais tocado
3 toquen	toc-aran/asen	hubieran tocado

PAS. COMP. haya tocado *etc.*

INFINITIF	*PARTICIPE*
PRESENT	**PRESENT**
tocar	tocando
PASSE	**PASSE**
haber tocado	tocado

PRESENT	**IMPARFAIT**	**FUTUR**
1 tomo	tomaba	tomaré
2 tomas	tomabas	tomarás
3 toma	tomaba	tomará
1 tomamos	tomábamos	tomaremos
2 tomáis	tomabais	tomaréis
3 toman	tomaban	tomarán

PASSE SIMPLE	**PASSE COMPOSE**	**PLUS-QUE-PARFAIT**
1 tomé	he tomado	había tomado
2 tomaste	has tomado	habías tomado
3 tomó	ha tomado	había tomado
1 tomamos	hemos tomado	habíamos tomado
2 tomasteis	habéis tomado	habíais tomado
3 tomaron	han tomado	habían tomado

PASSE ANTERIEUR	**FUTUR ANTERIEUR**
hube tomado *etc.*	habré tomado *etc.*

CONDITIONNEL		*IMPERATIF*
PRESENT	**PASSE**	
1 tomaría	habría tomado	
2 tomarías	habrías tomado	(tú) toma
3 tomaría	habría tomado	(Vd) tome
1 tomaríamos	habríamos tomado	(nosotros) tomemos
2 tomaríais	habríais tomado	(vosotros) tomad
3 tomarían	habrían tomado	(Vds) tomen

SUBJONCTIF		
PRESENT	**IMPARFAIT**	**PLUS-QUE-PARFAIT**
1 tome	tom-ara/ase	hubiera tomado
2 tomes	tom-aras/ases	hubieras tomado
3 tome	tom-ara/ase	hubiera tomado
1 tomemos	tom-áramos/ásemos	hubiéramos tomado
2 toméis	tom-arais/aseis	hubierais tomado
3 tomen	tom-aran/asen	hubieran tomado

PAS. COMP. haya tomado *etc.*

INFINITIF	*PARTICIPE*
PRESENT	**PRESENT**
tomar	tomando
PASSE	**PASSE**
haber tomado	tomado

PRESENT	**IMPARFAIT**	**FUTUR**
1 tuerzo	torcía	torceré
2 tuerces	torcías	torcerás
3 tuerce	torcía	torcerá
1 torcemos	torcíamos	torceremos
2 torcéis	torcíais	torceréis
3 tuercen	torcían	torcerán

PASSE SIMPLE	**PASSE COMPOSE**	**PLUS-QUE-PARFAIT**
1 torcí	he torcido	había torcido
2 torciste	has torcido	habías torcido
3 torció	ha torcido	había torcido
1 torcimos	hemos torcido	habíamos torcido
2 torcisteis	habéis torcido	habíais torcido
3 torcieron	han torcido	habían torcido

PASSE ANTERIEUR

hube torcido *etc.*

FUTUR ANTERIEUR

habré torcido *etc.*

CONDITIONNEL		*IMPERATIF*
PRESENT	**PASSE**	
1 torcería	habría torcido	
2 torcerías	habrías torcido	(tú) tuerce
3 torcería	habría torcido	(Vd) tuerza
1 torceríamos	habríamos torcido	(nosotros) torzamos
2 torceríais	habríais torcido	(vosotros) torced
3 torcerían	habrían torcido	(Vds) tuerzan

SUBJONCTIF		
PRESENT	**IMPARFAIT**	**PLUS-QUE-PARFAIT**
1 tuerza	torc-iera/iese	hubiera torcido
2 tuerzas	torc-ieras/ieses	hubieras torcido
3 tuerza	torc-iera/iese	hubiera torcido
1 torzamos	torc-iéramos/iésemos	hubiéramos torcido
2 torzáis	torc-ierais/ieseis	hubierais torcido
3 tuerzan	torc-ieran/iesen	hubieran torcido

PAS. COMP. haya torcido *etc.*

INFINITIF	*PARTICIPE*
PRESENT	**PRESENT**
torcer	torciendo
PASSE	**PASSE**
haber torcido	torcido

PRESENT	**IMPARFAIT**	**FUTUR**
1 toso	tosía	toseré
2 toses	tosías	toserás
3 tose	tosía	toserá
1 tosemos	tosíamos	toseremos
2 toséis	tosíais	toseréis
3 tosen	tosían	toserán

PASSE SIMPLE	**PASSE COMPOSE**	**PLUS-QUE-PARFAIT**
1 tosí	he tosido	había tosido
2 tosiste	has tosido	habías tosido
3 tosió	ha tosido	había tosido
1 tosimos	hemos tosido	habíamos tosido
2 tosisteis	habéis tosido	habíais tosido
3 tosieron	han tosido	habían tosido

PASSE ANTERIEUR

hube tosido *etc*.

FUTUR ANTERIEUR

habré tosido *etc*.

CONDITIONNEL

PRESENT	**PASSE**	*IMPERATIF*
1 tosería	habría tosido	
2 toserías	habrías tosido	(tú) tose
3 tosería	habría tosido	(Vd) tosa
1 toseríamos	habríamos tosido	(nosotros) tosamos
2 toseríais	habríais tosido	(vosotros) tosed
3 toserían	habrían tosido	(Vds) tosan

SUBJONCTIF

PRESENT	**IMPARFAIT**	**PLUS-QUE-PARFAIT**
1 tosa	tos-iera/iese	hubiera tosido
2 tosas	tos-ieras/ieses	hubieras tosido
3 tosa	tos-iera/iese	hubiera tosido
1 tosamos	tos-iéramos/iésemos	hubiéramos tosido
2 tosáis	tos-ierais/ieseis	hubierais tosido
3 tosan	tos-ieran/iesen	hubieran tosido

PAS. COMP. haya tosido *etc*.

INFINITIF	*PARTICIPE*
PRESENT	**PRESENT**
toser	tosiendo
PASSE	**PASSE**
haber tosido	tosido

PRESENT	IMPARFAIT	FUTUR
1 trabajo	trabajaba	trabajaré
2 trabajas	trabajabas	trabajarás
3 trabaja	trabajaba	trabajará
1 trabajamos	trabajábamos	trabajaremos
2 trabajáis	trabajabais	trabajaréis
3 trabajan	trabajaban	trabajarán

PASSE SIMPLE	PASSE COMPOSE	PLUS-QUE-PARFAIT
1 trabajé	he trabajado	había trabajado
2 trabajaste	has trabajado	habías trabajado
3 trabajó	ha trabajado	había trabajado
1 trabajamos	hemos trabajado	habíamos trabajado
2 trabajasteis	habéis trabajado	habíais trabajado
3 trabajaron	han trabajado	habían trabajado

PASSE ANTERIEUR

hube trabajado *etc.*

FUTUR ANTERIEUR

habré trabajado *etc.*

CONDITIONNEL

PRESENT	PASSE	IMPERATIF
1 trabajaría	habría trabajado	
2 trabajarías	habrías trabajado	(tú) trabaja
3 trabajaría	habría trabajado	(Vd) trabaje
1 trabajaríamos	habríamos trabajado	(nosotros) trabajemos
2 trabajaríais	habríais trabajado	(vosotros) trabajad
3 trabajarían	habrían trabajado	(Vds) trabajen

SUBJONCTIF

PRESENT	IMPARFAIT	PLUS-QUE-PARFAIT
1 trabaje	trabaj-ara/ase	hubiera trabajado
2 trabajes	trabaj-aras/ases	hubieras trabajado
3 trabaje	trabaj-ara/ase	hubiera trabajado
1 trabajemos	trabaj-áramos/ásemos	hubiéramos trabajado
2 trabajéis	trabaj-arais/aseis	hubierais trabajado
3 trabajen	trabaj-aran/asen	hubieran trabajado

PAS. COMP. haya trabajado *etc.*

INFINITIF	*PARTICIPE*
PRESENT	**PRESENT**
trabajar	trabajando
PASSE	**PASSE**
haber trabajado	trabajado

PRESENT

1 traduzco
2 traduces
3 traduce
1 traducimos
2 traducís
3 traducen

IMPARFAIT

traducía
traducías
traducía
traducíamos
traducíais
traducían

FUTUR

traduciré
traducirás
traducirá
traduciremos
traduciréis
traducirán

PASSE SIMPLE

1 traduje
2 tradujiste
3 tradujo
1 tradujimos
2 tradujisteis
3 tradujeron

PASSE COMPOSE

he traducido
has traducido
ha traducido
hemos traducido
habéis traducido
han traducido

PLUS-QUE-PARFAIT

había traducido
habías traducido
había traducido
habíamos traducido
habíais traducido
habían traducido

PASSE ANTERIEUR

hube traducido *etc.*

FUTUR ANTERIEUR

habré traducido *etc.*

CONDITIONNEL
PRESENT

1 traduciría
2 traducirías
3 traduciría
1 traduciríamos
2 traduciríais
3 traducirían

PASSE

habría traducido
habrías traducido
habría traducido
habríamos traducido
habríais traducido
habrían traducido

IMPERATIF

(tú) traduce
(Vd) traduzca
(nosotros) traduzcamos
(vosotros) traducid
(Vds) traduzcan

SUBJONCTIF
PRESENT

1 traduzca
2 traduzcas
3 traduzca
1 traduzcamos
2 traduzcáis
3 traduzcan

IMPARFAIT

traduj-era/ese
traduj-eras/eses
traduj-era/ese
traduj-éramos/ésemos
traduj-erais/eseis
traduj-eran/esen

PLUS-QUE-PARFAIT

hubiera traducido
hubieras traducido
hubiera traducido
hubiéramos traducido
hubierais traducido
hubieran traducido

PAS. COMP. haya traducido *etc.*

INFINITIF
PRESENT

traducir

PASSE

haber traducido

PARTICIPE
PRESENT

traduciendo

PASSE

traducido

196 TRAER
apporter, attirer

PRESENT	IMPARFAIT	FUTUR
1 traigo	traía	traeré
2 traes	traías	traerás
3 trae	traía	traerá
1 traemos	traíamos	traeremos
2 traéis	traíais	traeréis
3 traen	traían	traerán

PASSE SIMPLE	PASSE COMPOSE	PLUS-QUE-PARFAIT
1 traje	he traído	había traído
2 trajiste	has traído	habías traído
3 trajo	ha traído	había traído
1 trajimos	hemos traído	habíamos traído
2 trajisteis	habéis traído	habíais traído
3 trajeron	han traído	habían traído

PASSE ANTERIEUR

hube traído *etc.*

FUTUR ANTERIEUR

habré traído *etc.*

CONDITIONNEL

PRESENT	PASSE	IMPERATIF
1 traería	habría traído	
2 traerías	habrías traído	(tú) trae
3 traería	habría traído	(Vd) traiga
1 traeríamos	habríamos traído	(nosotros) traigamos
2 traeríais	habríais traído	(vosotros) traed
3 traerían	habrían traído	(Vds) traigan

SUBJONCTIF

PRESENT	IMPARFAIT	PLUS-QUE-PARFAIT
1 traiga	traj-era/ese	hubiera traído
2 traigas	traj-eras/eses	hubieras traído
3 traiga	traj-era/ese	hubiera traído
1 traigamos	traj-éramos/ésemos	hubiéramos traído
2 traigáis	traj-erais/eseis	hubierais traído
3 traigan	traj-eran/esen	hubieran traído

PAS. COMP. haya traído *etc.*

INFINITIF	PARTICIPE
PRESENT	**PRESENT**
traer	trayendo
PASSE	**PASSE**
haber traído	traído

PRESENT	IMPARFAIT	FUTUR
3 truena	tronaba	tronará

PASSE SIMPLE	PASSE COMPOSE	PLUS-QUE-PARFAIT
3 tronó	ha tronado	había tronado

PASSE ANTERIEUR	FUTUR ANTERIEUR
hubo tronado	habrá tronado

CONDITIONNEL

PRESENT	PASSE	*IMPERATIF*
3 tronaría	habría tronado	

SUBJONCTIF

PRESENT	IMPARFAIT	PLUS-QUE-PARFAIT
3 truene	tron-ara/ase	hubiera tronado

PAS. COMP. haya tronado

INFINITIF	*PARTICIPE*
PRESENT	**PRESENT**
tronar	tronando
PASSE	**PASSE**
haber tronado	tronado

PRESENT	IMPARFAIT	FUTUR
1 tropiezo	tropezaba	tropezaré
2 tropiezas	tropezabas	tropezarás
3 tropieza	tropezaba	tropezará
1 tropezamos	tropezábamos	tropezaremos
2 tropezáis	tropezabais	tropezaréis
3 tropiezan	tropezaban	tropezarán

PASSE SIMPLE	PASSE COMPOSE	PLUS-QUE-PARFAIT
1 tropecé	he tropezado	había tropezado
2 tropezaste	has tropezado	habías tropezado
3 tropezó	ha tropezado	había tropezado
1 tropezamos	hemos tropezado	habíamos tropezado
2 tropezasteis	habéis tropezado	habíais tropezado
3 tropezaron	han tropezado	habían tropezado

PASSE ANTERIEUR

hube tropezado *etc.*

FUTUR ANTERIEUR

habré tropezado *etc.*

CONDITIONNEL

PRESENT	PASSE	IMPERATIF
1 tropezaría	habría tropezado	
2 tropezarías	habrías tropezado	(tú) tropieza
3 tropezaría	habría tropezado	(Vd) tropiece
1 tropezaríamos	habríamos tropezado	(nosotros) tropecemos
2 tropezaríais	habríais tropezado	(vosotros) tropezad
3 tropezarían	habrían tropezado	(Vds) tropiecen

SUBJONCTIF

PRESENT	IMPARFAIT	PLUS-QUE-PARFAIT
1 tropiece	tropez-ara/ase	hubiera tropezado
2 tropieces	tropez-aras/ases	hubieras tropezado
3 tropiece	tropez-ara/ase	hubiera tropezado
1 tropecemos	tropez-áramos/ásemos	hubiéramos tropezado
2 tropecéis	tropez-arais/aseis	hubierais tropezado
3 tropiecen	tropez-aran/asen	hubieran tropezado

PAS. COMP. haya tropezado *etc.*

INFINITIF	*PARTICIPE*
PRESENT	**PRESENT**
tropezar	tropezando
PASSE	**PASSE**
haber tropezado	tropezado

PRESENT	**IMPARFAIT**	**FUTUR**
1 vacío	vaciaba	vaciaré
2 vacías	vaciabas	vaciarás
3 vacía	vaciaba	vaciará
1 vaciamos	vaciábamos	vaciaremos
2 vaciáis	vaciabais	vaciaréis
3 vacían	vaciaban	vaciarán

PASSE SIMPLE	**PASSE COMPOSE**	**PLUS-QUE-PARFAIT**
1 vacié	he vaciado	había vaciado
2 vaciaste	has vaciado	habías vaciado
3 vació	ha vaciado	había vaciado
1 vaciamos	hemos vaciado	habíamos vaciado
2 vaciasteis	habéis vaciado	habíais vaciado
3 vaciaron	han vaciado	habían vaciado

PASSE ANTERIEUR

hube vaciado *etc.*

FUTUR ANTERIEUR

habré vaciado *etc.*

CONDITIONNEL

PRESENT	**PASSE**	*IMPERATIF*
1 vaciaría	habría vaciado	
2 vaciarías	habrías vaciado	(tú) vacía
3 vaciaría	habría vaciado	(Vd) vacíe
1 vaciaríamos	habríamos vaciado	(nosotros) vaciemos
2 vaciaríais	habríais vaciado	(vosotros) vaciad
3 vaciarían	habrían vaciado	(Vds) vacíen

SUBJONCTIF

PRESENT	**IMPARFAIT**	**PLUS-QUE-PARFAIT**
1 vacíe	vaci-ara/ase	hubiera vaciado
2 vacíes	vaci-aras/ases	hubieras vaciado
3 vacíe	vaci-ara/ase	hubiera vaciado
1 vaciemos	vaci-áramos/ásemos	hubiéramos vaciado
2 vaciéis	vaci-arais/aseis	hubierais vaciado
3 vacíen	vaci-aran/asen	hubieran vaciado

PAS. COMP. haya vaciado *etc.*

INFINITIF	*PARTICIPE*
PRESENT	**PRESENT**
vaciar	vaciando
PASSE	**PASSE**
haber vaciado	vaciado

200 VALER
valoir

PRESENT	IMPARFAIT	FUTUR
1 valgo	valía	valdré
2 vales	valías	valdrás
3 vale	valía	valdrá
1 valemos	valíamos	valdremos
2 valéis	valíais	valdréis
3 valen	valían	valdrán

PASSE SIMPLE	PASSE COMPOSE	PLUS-QUE-PARFAIT
1 valí	he valido	había valido
2 valiste	has valido	habías valido
3 valió	ha valido	había valido
1 valimos	hemos valido	habíamos valido
2 valisteis	habéis valido	habíais valido
3 valieron	han valido	habían valido

PASSE ANTERIEUR

hube valido *etc.*

FUTUR ANTERIEUR

habré valido *etc.*

CONDITIONNEL

PRESENT	PASSE	IMPERATIF
1 valdría	habría valido	
2 valdrías	habrías valido	(tú) vale
3 valdría	habría valido	(Vd) valga
1 valdríamos	habríamos valido	(nosotros) valgamos
2 valdríais	habríais valido	(vosotros) valed
3 valdrían	habrían valido	(Vds) valgan

SUBJONCTIF

PRESENT	IMPARFAIT	PLUS-QUE-PARFAIT
1 valga	val-iera/iese	hubiera valido
2 valgas	val-ieras/ieses	hubieras valido
3 valga	val-iera/iese	hubiera valido
1 valgamos	val-iéramos/iésemos	hubiéramos valido
2 valgáis	val-ierais/ieseis	hubierais valido
3 valgan	val-ieran/iesen	hubieran valido

PAS. COMP. haya valido *etc.*

INFINITIF	PARTICIPE
PRESENT	PRESENT
valer	valiendo
PASSE	PASSE
haber valido	valido

PRESENT	IMPARFAIT	FUTUR
1 venzo	vencía	venceré
2 vences	vencías	vencerás
3 vence	vencía	vencerá
1 vencemos	vencíamos	venceremos
2 vencéis	vencíais	venceréis
3 vencen	vencían	vencerán

PASSE SIMPLE	PASSE COMPOSE	PLUS-QUE-PARFAIT
1 vencí	he vencido	había vencido
2 venciste	has vencido	habías vencido
3 venció	ha vencido	había vencido
1 vencimos	hemos vencido	habíamos vencido
2 vencisteis	habéis vencido	habíais vencido
3 vencieron	han vencido	habían vencido

PASSE ANTERIEUR

hube vencido *etc.*

FUTUR ANTERIEUR

habré vencido *etc.*

CONDITIONNEL

PRESENT	PASSE	*IMPERATIF*
1 vencería	habría vencido	
2 vencerías	habrías vencido	(tú) vence
3 vencería	habría vencido	(Vd) venza
1 venceríamos	habríamos vencido	(nosotros) venzamos
2 venceríais	habríais vencido	(vosotros) venced
3 vencerían	habrían vencido	(Vds) venzan

SUBJONCTIF

PRESENT	IMPARFAIT	PLUS-QUE-PARFAIT
1 venza	venc-iera/iese	hubiera vencido
2 venzas	venc-ieras/ieses	hubieras vencido
3 venza	venc-iera/iese	hubiera vencido
1 venzamos	venc-iéramos/iésemos	hubiéramos vencido
2 venzáis	venc-ierais/ieseis	hubierais vencido
3 venzan	venc-ieran/iesen	hubieran vencido

PAS. COMP. haya vencido *etc.*

INFINITIF	*PARTICIPE*
PRESENT	**PRESENT**
vencer	venciendo
PASSE	**PASSE**
haber vencido	vencido

PRESENT	**IMPARFAIT**	**FUTUR**
1 vendo	vendía	venderé
2 vendes	vendías	venderás
3 vende	vendía	venderá
1 vendemos	vendíamos	venderemos
2 vendéis	vendíais	venderéis
3 venden	vendían	venderán

PASSE SIMPLE	**PASSE COMPOSE**	**PLUS-QUE-PARFAIT**
1 vendí	he vendido	había vendido
2 vendiste	has vendido	habías vendido
3 vendió	ha vendido	había vendido
1 vendimos	hemos vendido	habíamos vendido
2 vendisteis	habéis vendido	habíais vendido
3 vendieron	han vendido	habían vendido

PASSE ANTERIEUR	**FUTUR ANTERIEUR**
hube vendido *etc.*	habré vendido *etc.*

CONDITIONNEL		*IMPERATIF*
PRESENT	**PASSE**	
1 vendería	habría vendido	
2 venderías	habrías vendido	(tú) vende
3 vendería	habría vendido	(Vd) venda
1 venderíamos	habríamos vendido	(nosotros) vendamos
2 venderíais	habríais vendido	(vosotros) vended
3 venderían	habrían vendido	(Vds) vendan

SUBJONCTIF		
PRESENT	**IMPARFAIT**	**PLUS-QUE-PARFAIT**
1 venda	vend-iera/iese	hubiera vendido
2 vendas	vend-ieras/ieses	hubieras vendido
3 venda	vend-iera/iese	hubiera vendido
1 vendamos	vend-iéramos/iésemos	hubiéramos vendido
2 vendáis	vend-ierais/ieseis	hubierais vendido
3 vendan	vend-ieran/iesen	hubieran vendido

PAS. COMP. haya vendido *etc.*

INFINITIF	*PARTICIPE*
PRESENT	**PRESENT**
vender	vendiendo
PASSE	**PASSE**
haber vendido	vendido

PRESENT	**IMPARFAIT**	**FUTUR**
1 vengo	venía	vendré
2 vienes	venías	vendrás
3 viene	venía	vendrá
1 venimos	veníamos	vendremos
2 venís	veníais	vendréis
3 vienen	venían	vendrán

PASSE SIMPLE	**PASSE COMPOSE**	**PLUS-QUE-PARFAIT**
1 vine	he venido	había venido
2 viniste	has venido	habías venido
3 vino	ha venido	había venido
1 vinimos	hemos venido	habíamos venido
2 vinisteis	habéis venido	habíais venido
3 vinieron	han venido	habían venido

PASSE ANTERIEUR

hube venido *etc*.

FUTUR ANTERIEUR

habré venido *etc*.

CONDITIONNEL

PRESENT	**PASSE**	*IMPERATIF*
1 vendría	habría venido	
2 vendrías	habrías venido	(tú) ven
3 vendría	habría venido	(Vd) venga
1 vendríamos	habríamos venido	(nosotros) vengamos
2 vendríais	habríais venido	(vosotros) venid
3 vendrían	habrían venido	(Vds) vengan

SUBJONCTIF

PRESENT	**IMPARFAIT**	**PLUS-QUE-PARFAIT**
1 venga	vin-iera/iese	hubiera venido
2 vengas	vin-ieras/ieses	hubieras venido
3 venga	vin-iera/iese	hubiera venido
1 vengamos	vin-iéramos/iésemos	hubiéramos venido
2 vengáis	vin-ierais/ieseis	hubierais venido
3 vengan	vin-ieran/iesen	hubieran venido

PAS. COMP. haya venido *etc*.

INFINITIF	*PARTICIPE*
PRESENT	**PRESENT**
venir	viniendo
PASSE	**PASSE**
haber venido	venido

204 VER
voir

PRESENT	IMPARFAIT	FUTUR
1 veo	veía	veré
2 ves	veías	verás
3 ve	veía	verá
1 vemos	veíamos	veremos
2 veis	veíais	veréis
3 ven	veían	verán

PASSE SIMPLE	PASSE COMPOSE	PLUS-QUE-PARFAIT
1 vi	he visto	había visto
2 viste	has visto	habías visto
3 vio	ha visto	había visto
1 vimos	hemos visto	habíamos visto
2 visteis	habéis visto	habíais visto
3 vieron	han visto	habían visto

PASSE ANTERIEUR

hube visto *etc.*

FUTUR ANTERIEUR

habré visto *etc.*

CONDITIONNEL

PRESENT	PASSE	IMPERATIF
1 vería	habría visto	
2 verías	habrías visto	
3 vería	habría visto	(tú) ve
1 veríamos	habríamos visto	(Vd) vea
2 veríais	habríais visto	(nosotros) veamos
3 verían	habrían visto	(vosotros) ved
		(Vds) vean

SUBJONCTIF

PRESENT	IMPARFAIT	PLUS-QUE-PARFAIT
1 vea	v-iera/iese	hubiera visto
2 veas	v-ieras/ieses	hubieras visto
3 vea	v-iera/iese	hubiera visto
1 veamos	v-iéramos/iésemos	hubiéramos visto
2 veáis	v-ierais/ieseis	hubierais visto
3 vean	v-ieran/iesen	hubieran visto

PAS. COMP. haya visto *etc.*

INFINITIF	PARTICIPE
PRESENT	PRESENT
ver	viendo
PASSE	PASSE
haber visto	visto

PRESENT

1 me visto
2 te vistes
3 se viste
1 nos vestimos
2 os vestís
3 se visten

IMPARFAIT

me vestía
te vestías
se vestía
nos vestíamos
os vestíais
se vestían

FUTUR

me vestiré
te vestirás
se vestirá
nos vestiremos
os vestiréis
se vestirán

PASSE SIMPLE

1 me vestí
2 te vestiste
3 se vistió
1 nos vestimos
2 os vestisteis
3 se vistieron

PASSE COMPOSE

me he vestido
te has vestido
se ha vestido
nos hemos vestido
os habéis vestido
se han vestido

PLUS-QUE-PARFAIT

me había vestido
te habías vestido
se había vestido
nos habíamos vestido
os habíais vestido
se habían vestido

PASSE ANTERIEUR

me hube vestido *etc.*

FUTUR ANTERIEUR

me habré vestido *etc.*

CONDITIONNEL
PRESENT

1 me vestiría
2 te vestirías
3 se vestiría
1 nos vestiríamos
2 os vestiríais
3 se vestirían

PASSE

me habría vestido
te habrías vestido
se habría vestido
nos habríamos vestido
os habríais vestido
se habrían vestido

IMPERATIF

(tú) vístete
(Vd) vístase
(nosotros) vistámonos
(vosotros) vestíos
(Vds) vístanse

SUBJONCTIF
PRESENT

1 me vista
2 te vistas
3 se vista
1 nos vistamos
2 os vistáis
3 se vistan

IMPARFAIT

me vist-iera/iese
te vist-ieras/ieses
se vist-iera/iese
nos vist-iéramos/iésemos
os vist-ierais/ieseis
se vist-ieran/iesen

PLUS-QUE-PARFAIT

me hubiera vestido
te hubieras vestido
se hubiera vestido
nos hubiéramos vestido
os hubierais vestido
se hubieran vestido

PAS. COMP. me haya vestido *etc.*

INFINITIF
PRESENT

vestirse

PASSE

haberse vestido

PARTICIPE
PRESENT

vistiéndose

PASSE

vestido

PRESENT	IMPARFAIT	FUTUR
1 viajo	viajaba	viajaré
2 viajas	viajabas	viajarás
3 viaja	viajaba	viajará
1 viajamos	viajábamos	viajaremos
2 viajáis	viajabais	viajaréis
3 viajan	viajaban	viajarán

PASSE SIMPLE	PASSE COMPOSE	PLUS-QUE-PARFAIT
1 viajé	he viajado	había viajado
2 viajaste	has viajado	habías viajado
3 viajó	ha viajado	había viajado
1 viajamos	hemos viajado	habíamos viajado
2 viajasteis	habéis viajado	habíais viajado
3 viajaron	han viajado	habían viajado

PASSE ANTERIEUR

hube viajado *etc*.

FUTUR ANTERIEUR

habré viajado *etc*.

CONDITIONNEL		*IMPERATIF*
PRESENT	**PASSE**	
1 viajaría	habría viajado	
2 viajarías	habrías viajado	(tú) viaja
3 viajaría	habría viajado	(Vd) viaje
1 viajaríamos	habríamos viajado	(nosotros) viajemos
2 viajaríais	habríais viajado	(vosotros) viajad
3 viajarían	habrían viajado	(Vds) viajen

SUBJONCTIF		
PRESENT	**IMPARFAIT**	**PLUS-QUE-PARFAIT**
1 viaje	viaj-ara/ase	hubiera viajado
2 viajes	viaj-aras/ases	hubieras viajado
3 viaje	viaj-ara/ase	hubiera viajado
1 viajemos	viaj-áramos/ásemos	hubiéramos viajado
2 viajéis	viaj-arais/aseis	hubierais viajado
3 viajen	viaj-aran/asen	hubieran viajado

PAS. COMP. haya viajado *etc*.

INFINITIF	*PARTICIPE*
PRESENT	**PRESENT**
viajar	viajando
PASSE	**PASSE**
haber viajado	viajado

PRESENT	**IMPARFAIT**	**FUTUR**
1 vivo	vivía	viviré
2 vives	vivías	vivirás
3 vive	vivía	vivirá
1 vivimos	vivíamos	viviremos
2 vivís	vivíais	viviréis
3 viven	vivían	vivirán

PASSE SIMPLE	**PASSE COMPOSE**	**PLUS-QUE-PARFAIT**
1 viví	he vivido	había vivido
2 viviste	has vivido	habías vivido
3 vivió	ha vivido	había vivido
1 vivimos	hemos vivido	habíamos vivido
2 vivisteis	habéis vivido	habíais vivido
3 vivieron	han vivido	habían vivido

PASSE ANTERIEUR

hube vivido *etc.*

FUTUR ANTERIEUR

habré vivido *etc.*

CONDITIONNEL		*IMPERATIF*
PRESENT	**PASSE**	
1 viviría	habría vivido	
2 vivirías	habrías vivido	(tú) vive
3 viviría	habría vivido	(Vd) viva
1 viviríamos	habríamos vivido	(nosotros) vivamos
2 viviríais	habríais vivido	(vosotros) vivid
3 vivirían	habrían vivido	(Vds) vivan

SUBJONCTIF		
PRESENT	**IMPARFAIT**	**PLUS-QUE-PARFAIT**
1 viva	viv-iera/iese	hubiera vivido
2 vivas	viv-ieras/ieses	hubieras vivido
3 viva	viv-iera/iese	hubiera vivido
1 vivamos	viv-iéramos/iésemos	hubiéramos vivido
2 viváis	viv-ierais/ieseis	hubierais vivido
3 vivan	viv-ieran/iesen	hubieran vivido

PAS. COMP. haya vivido *etc.*

INFINITIF	*PARTICIPE*
PRESENT	**PRESENT**
vivir	viviendo
PASSE	**PASSE**
haber vivido	vivido

208 VOLAR
voler (en l'air)

PRESENT	IMPARFAIT	FUTUR
1 vuelo	volaba	volaré
2 vuelas	volabas	volarás
3 vuela	volaba	volará
1 volamos	volábamos	volaremos
2 voláis	volabais	volaréis
3 vuelan	volaban	volarán

PASSE SIMPLE	PASSE COMPOSE	PLUS-QUE-PARFAIT
1 volé	he volado	había volado
2 volaste	has volado	habías volado
3 voló	ha volado	había volado
1 volamos	hemos volado	habíamos volado
2 volasteis	habéis volado	habíais volado
3 volaron	han volado	habían volado

PASSE ANTERIEUR

hube volado *etc.*

FUTUR ANTERIEUR

habré volado *etc.*

CONDITIONNEL

PRESENT	PASSE	IMPERATIF
1 volaría	habría volado	
2 volarías	habrías volado	(tú) vuela
3 volaría	habría volado	(Vd) vuele
1 volaríamos	habríamos volado	(nosotros) volemos
2 volaríais	habríais volado	(vosotros) volad
3 volarían	habrían volado	(Vds) vuelen

SUBJONCTIF

PRESENT	IMPARFAIT	PLUS-QUE-PARFAIT
1 vuele	vol-ara/ase	hubiera volado
2 vueles	vol-aras/ases	hubieras volado
3 vuele	vol-ara/ase	hubiera volado
1 volemos	vol-áramos/ásemos	hubiéramos volado
2 voléis	vol-arais/aseis	hubierais volado
3 vuelen	vol-aran/asen	hubieran volado

PAS. COMP. haya volado *etc.*

INFINITIF	PARTICIPE
PRESENT	**PRESENT**
volar	volando
PASSE	**PASSE**
haber volado	volado

PRESENT	IMPARFAIT	FUTUR
1 vuelco	volcaba	volcaré
2 vuelcas	volcabas	volcarás
3 vuelca	volcaba	volcará
1 volcamos	volcábamos	volcaremos
2 volcáis	volcabais	volcaréis
3 vuelcan	volcaban	volcarán

PASSE SIMPLE	PASSE COMPOSE	PLUS-QUE-PARFAIT
1 volqué	he volcado	había volcado
2 volcaste	has volcado	habías volcado
3 volcó	ha volcado	había volcado
1 volcamos	hemos volcado	habíamos volcado
2 volcasteis	habéis volcado	habíais volcado
3 volcaron	han volcado	habían volcado

PASSE ANTERIEUR

hube volcado *etc.*

FUTUR ANTERIEUR

habré volcado *etc.*

CONDITIONNEL
PRESENT	PASSE	*IMPERATIF*
1 volcaría	habría volcado	
2 volcarías	habrías volcado	(tú) vuelca
3 volcaría	habría volcado	(Vd) vuelque
1 volcaríamos	habríamos volcado	(nosotros) volquemos
2 volcaríais	habríais volcado	(vosotros) volcad
3 volcarían	habrían volcado	(Vds) vuelquen

SUBJONCTIF
PRESENT	IMPARFAIT	PLUS-QUE-PARFAIT
1 vuelque	volc-ara/ase	hubiera volcado
2 vuelques	volc-aras/ases	hubieras volcado
3 vuelque	volc-ara/ase	hubiera volcado
1 volquemos	volc-áramos/ásemos	hubiéramos volcado
2 volquéis	volc-arais/aseis	hubierais volcado
3 vuelquen	volc-aran/asen	hubieran volcado

PAS. COMP. haya volcado *etc.*

INFINITIF	*PARTICIPE*
PRESENT	**PRESENT**
volcar	volcando
PASSE	**PASSE**
haber volcado	volcado

210 VOLVER
tourner, retourner

PRESENT	IMPARFAIT	FUTUR
1 vuelvo	volvía	volveré
2 vuelves	volvías	volverás
3 vuelve	volvía	volverá
1 volvemos	volvíamos	volveremos
2 volvéis	volvíais	volveréis
3 vuelven	volvían	volverán

PASSE SIMPLE	PASSE COMPOSE	PLUS-QUE-PARFAIT
1 volví	he vuelto	había vuelto
2 volviste	has vuelto	habías vuelto
3 volvió	ha vuelto	había vuelto
1 volvimos	hemos vuelto	habíamos vuelto
2 volvisteis	habéis vuelto	habíais vuelto
3 volvieron	han vuelto	habían vuelto

PASSE ANTERIEUR

hube vuelto *etc.*

FUTUR ANTERIEUR

habré vuelto *etc.*

CONDITIONNEL

PRESENT	PASSE	IMPERATIF
1 volvería	habría vuelto	
2 volverías	habrías vuelto	(tú) vuelve
3 volvería	habría vuelto	(Vd) vuelva
1 volveríamos	habríamos vuelto	(nosotros) volvamos
2 volveríais	habríais vuelto	(vosotros) volved
3 volverían	habrían vuelto	(Vds) vuelvan

SUBJONCTIF

PRESENT	IMPARFAIT	PLUS-QUE-PARFAIT
1 vuelva	volv-iera/iese	hubiera vuelto
2 vuelvas	volv-ieras/ieses	hubieras vuelto
3 vuelva	volv-iera/iese	hubiera vuelto
1 volvamos	volv-iéramos/iésemos	hubiéramos vuelto
2 volváis	volv-ierais/ieseis	hubierais vuelto
3 vuelvan	volv-ieran/iesen	hubieran vuelto

PAS. COMP. haya vuelto *etc.*

INFINITIF	PARTICIPE
PRESENT	**PRESENT**
volver	volviendo
PASSE	**PASSE**
haber vuelto	vuelto

PRESENT	**IMPARFAIT**	**FUTUR**
1 yazgo/yago/yazco	yacía	yaceré
2 yaces	yacías	yacerás
3 yace	yacía	yacerá
1 yacemos	yacíamos	yaceremos
2 yacéis	yacíais	yaceréis
3 yacen	yacían	yacerán

PASSE SIMPLE	**PASSE COMPOSE**	**PLUS-QUE-PARFAIT**
1 yací	he yacido	había yacido
2 yaciste	has yacido	habías yacido
3 yació	ha yacido	había yacido
1 yacimos	hemos yacido	habíamos yacido
2 yacisteis	habéis yacido	habíais yacido
3 yacieron	han yacido	habían yacido

PASSE ANTERIEUR

hube yacido *etc.*

FUTUR ANTERIEUR

habré yacido *etc.*

CONDITIONNEL		*IMPERATIF*
PRESENT	**PASSE**	
1 yacería	habría yacido	
2 yacerías	habrías yacido	(tú) yace
3 yacería	habría yacido	(Vd) yazga
1 yaceríamos	habríamos yacido	(nosotros) yazgamos
2 yaceríais	habríais yacido	(vosotros) yaced
3 yacerían	habrían yacido	(Vds) yazgan

SUBJONCTIF		
PRESENT	**IMPARFAIT**	**PLUS-QUE-PARFAIT**
1 yazga	yac-iera/iese	hubiera yacido
2 yazgas	yac-ieras/ieses	hubieras yacido
3 yazga	yac-iera/iese	hubiera yacido
1 yazgamos	yac-iéramos/iésemos	hubiéramos yacido
2 yazgáis	yac-ierais/ieseis	hubierais yacido
3 yazgan	yac-ieran/iesen	hubieran yacido

PAS. COMP. haya yacido *etc.*

INFINITIF	*PARTICIPE*	**N.B.**
PRESENT	**PRESENT**	Au subjonctif présent, on
yacer	yaciendo	trouve aussi les formes
		suivantes : yazca/yaga
PASSE	**PASSE**	*etc.*
haber yacido	yacido	

raccommoder

PRESENT	IMPARFAIT	FUTUR
1 zurzo	zurcía	zurciré
2 zurces	zurcías	zurcirás
3 zurce	zurcía	zurcirá
1 zurcimos	zurcíamos	zurciremos
2 zurcís	zurcíais	zurciréis
3 zurcen	zurcían	zurcirán

PASSE SIMPLE	PASSE COMPOSE	PLUS-QUE-PARFAIT
1 zurcí	he zurcido	había zurcido
2 zurciste	has zurcido	habías zurcido
3 zurció	ha zurcido	había zurcido
1 zurcimos	hemos zurcido	habíamos zurcido
2 zurcisteis	habéis zurcido	habíais zurcido
3 zurcieron	han zurcido	habían zurcido

PASSE ANTERIEUR

hube zurcido *etc.*

FUTUR ANTERIEUR

habré zurcido *etc.*

CONDITIONNEL

PRESENT	PASSE	IMPERATIF
1 zurciría	habría zurcido	
2 zurcirías	habrías zurcido	(tú) zurce
3 zurciría	habría zurcido	(Vd) zurza
1 zurciríamos	habríamos zurcido	(nosotros) zurzamos
2 zurciríais	habríais zurcido	(vosotros) zurcid
3 zurcirían	habrían zurcido	(Vds) zurzan

SUBJONCTIF

PRESENT	IMPARFAIT	PLUS-QUE-PARFAIT
1 zurza	zurc-iera/iese	hubiera zurcido
2 zurzas	zurc-ieras/ieses	hubieras zurcido
3 zurza	zurc-iera/iese	hubiera zurcido
1 zurzamos	zurc-iéramos/iésemos	hubiéramos zurcido
2 zurzáis	zurc-ierais/ieseis	hubierais zurcido
3 zurzan	zurc-ieran/iesen	hubieran zurcido

PAS. COMP. haya zurcido *etc.*

INFINITIF	*PARTICIPE*
PRESENT	**PRESENT**
zurcir	zurciendo
PASSE	**PASSE**
haber zurcido	zurcido

Index

Les verbes dont on a donné toute la conjugaison dans les tableaux précédents peuvent être utilisés comme modèles pour la conjugaison d'autres verbes espagnols que vous trouverez dans cet index. Le chiffre qui suit chaque verbe est le numéro du *tableau de conjugaison* auquel il se réfère.

Cet index comporte aussi les formes des verbes irréguliers. Chacune d'elles est suivie de son infinitif.

On se réfère à un verbe modèle pour tous les verbes de cet index à chaque fois que cela est possible. Ainsi la plupart des verbes réfléchis auront pour modèle un verbe réfléchi. Cependant si ce verbe modèle n'est pas réfléchi, il suffit de lui ajouter un pronom réfléchi.

Les verbes en **caractères gras** sont les verbes donnés comme modèles.

Le verbe suivi d'un a entre parenthèses (a), à la différence du verbe modèle, perd le *i* non accentué après *ñ*, aux troisièmes personnes du singulier et du pluriel au passé simple, ainsi qu'au subjonctif imparfait.

Le verbe suivi d'un b entre parenthèses (b), à la différence du verbe modèle, a un *ú* accentué comme le verbe 164.

INDEX